再生可能エネルギー熱

RENEWABLE HEAT

柴 芳郎
SHIBA YOSHIRO

幻冬舎MC

はじめに

地球温暖化の原因である温室効果ガスを削減することは喫緊の課題となっています。

こうした環境問題への解決策の一つとして、温室効果ガスを排出しないエネルギーである「再生可能エネルギー」が注目されるようになりました。しかし、再生可能エネルギーの利用に関心が集まっているのは主に「電気」に対してであり、「再生可能エネルギー熱」の有効利用についてはあまり知られていません。

再生可能エネルギー熱とは、太陽熱、バイオマス熱、地中熱、地熱（温泉熱）など自然界に存在する熱エネルギーの総称です。これらの熱エネルギーを有効活用する最も分かりやすい例としては、太陽熱による暖房や給湯がそれにあたります。太陽光発電などのように一度電気に変換してから電化製品の動力源とするのではなく、太陽の熱で空気や水を温めて利用する仕組みです。このように熱をそのまま利用するほうが発電よりもエネルギー変換効率が良いことが大きな特長です。実際に環境省の発表によると、国内のエネルギー需要のうち家庭部門の約63%、業務他部門の約47%が熱需要であることから、熱の有効利用による省エネルギー・CO_2削減効果は大きく、今後さらなる活用が期待できるとしています。

私は１９９７年に再生可能エネルギー熱を利用した冷暖房システムなどを扱う会社に入社し、企業や自治体への導入を進めるとともに、四半世紀近くにわたって再生可能エネルギー熱利用の研究開発に携わってきました。東京大学をはじめとする学術機関や国立研究開発法人新エネルギー・産業技術総合開発機構（ＮＥＤＯ）などの研究機関と共同研究を重ね、今では国内外において１０００件を超える実証事例を数えるに至っています。

再生可能エネルギー熱の有効利用は、化石燃料などの資源に乏しい日本のエネルギー問題を考えるうえでも非常に重要です。海外にエネルギー資源を依存している状態では、国際情勢の影響を受けて安定的にエネルギーを確保できなくなるリスクを負います。しかし、熱利用が今以上に発展・普及することで国内の電力消費が抑えられれば、そのリスクを軽減することにもつながるはずです。

本書では、再生可能エネルギー熱利用の仕組みについて、分かりやすく体系的に解説します。さらに、これからの社会に重要な熱エネルギーの活用法やその効果などを具体的な実証事例を取り上げながら示していきます。

より多くの人が再生可能エネルギー熱の有効利用に関心をもち、ネットゼロ（ネットゼロエネルギー・ネットゼロカーボン）が実現される未来へ向けて前進するきっかけとなることができれば、著者としてこれ以上の喜びはありません。

再生可能エネルギー熱　RENEWABLE HEAT　目次

はじめに　3

［序　章］太陽光、風力、バイオマス……　再生可能エネルギーの現在地

今注目を集める再生可能エネルギーとは　12

再生可能エネルギーはなぜ注目されるようになったのか　15

脱炭素社会に向けた再生可能エネルギーの活用　18

カーボン・ニュートラル、カーボン・オフセット……さまざまな取り組み　22

再生可能エネルギーの導入状況　28

基幹エネルギーとしての再生可能エネルギー利用　32

［第1章］世界各国で導入が加速する　脱炭素時代の切り札となる「再生可能エネルギー熱」

世界最大のエネルギー消費用途は「熱」　36

意外と知られていない、再生可能エネルギー熱とは　38
「温度差」は意外なところに存在している　40
再生可能エネルギー熱の現状　44
カーボン・ニュートラルを実現するさまざまな燃料の活用法　46
再生可能エネルギー熱をめぐる欧州の動向　55
再生可能エネルギー熱が未開拓の日本は可能性にあふれている　57

［第2章］　地中熱、温泉熱、雪氷熱……　利用されていない「熱」をエネルギーに変える仕組み

再生可能エネルギー熱利用の種類とその仕組み　62
①地中熱利用　67
②地熱（温泉熱）利用　72
③温度差エネルギー利用　75
④雪氷熱利用　80
⑤バイオマス熱利用　83
⑥太陽熱利用　86

［第3章］発電よりもエネルギーロスを大幅に削減

再生可能エネルギー熱利用がもたらす社会的メリット

太陽熱利用システムのメリットと利用上の注意点　92

バイオマス熱利用システムのメリットと利用上の注意点　93

雪氷熱利用システムのメリットと利用上の注意点　94

地熱（温泉熱）利用システムのメリットと利用上の注意点　95

地中熱利用システムのメリットと利用上の注意点　96

ヒートポンプの歴史からみた再生可能エネルギー熱の歩み　98

ヒートポンプの二つのタイプと導入にあたっての注目ポイント　107

ヒートポンプは再生可能エネルギー熱を組み合わせる要となる　111

効果的に再生可能エネルギー熱を組み合わせてＺＥＢ／ＺＥＨを実現する　113

［第4章］大幅な省エネ・省コストを実現　熱利用システムを活用した具体例

事例1【社屋ビル】北海道初「ＺＥＢ」達成オフィス　122

事例2【社屋ビル】井戸水・太陽熱＋ヒートポンプで「ZEB」達成 126
事例3【福祉施設】全館冷暖房を実現 災害時にも自立 128
事例4【食品加工場】地中熱、地下水熱、設備排熱など多様な再エネを活用 131
事例5【屋内型しいたけ類農業施設】微細な温度調節の24時間自動化に成功 134
事例6【医療施設】病院機能を止めることなく透析熱回収システムを導入 137
事例7【温泉施設例その1】北海道の厳冬期でも対応、重油使用量を9割削減 139
事例8【温泉施設例その2】源泉の有効活用により省CO_2を実現 142
事例9【離島施設】海水淡水化で自立給水と給湯を実現 災害時の開放も 144
事例10【廃棄物処理施設】生物排水処理施設からの放流水の熱を
同じ生物排水処理施設で再利用 146

［第5章］再生可能エネルギー熱の利用が増えれば 社会の持続的な発展に大きく貢献する

日本が再生可能エネルギー熱をリードするポテンシャルは十分 150
豊富な熱利用の資源を有する日本 153
地域経済の活性化と雇用創出に貢献する 156

将来の再エネシステム　熱源ネットワーク～第5世代地域熱供給　159
持続可能な社会の実現　161
世界へ技術を輸出する　166
再生可能エネルギーの当たり前を変える　169
再生可能エネルギー熱が世界の未来を変える　171

おわりに　173

［序章］

太陽光、風力、バイオマス……再生可能エネルギーの現在地

今注目を集める再生可能エネルギーとは

世界的に地球温暖化をはじめとする環境問題が年々深刻化しています。日本でも毎年のように頻発している豪雨災害や記録的な猛暑などの異常気象も地球温暖化が関係しているとみられており、その影響は私たちの身近な生活にも及んでいます。

地球温暖化を引き起こす原因となっているのが、産業革命以前に比して過剰に排出されている温室効果ガスです。そのなかでも化石燃料を燃焼させることで発生する二酸化炭素が地球温暖化を加速させている最大の原因となっており、年間発電量の約70％を化石燃料に頼っている日本では、エネルギー政策の見直しが待ったなしの状況といえます。

こうしたなかで重要性を増しているのが再生可能エネルギーの導入です。再生可能エネルギーは、エネルギー源を化石燃料に依存する現代社会の経済問題と環境問題の両面から注目されています。化石燃料の使用を減らしながら経済活動の基幹となるエネルギー源を確保するとともに、環境保全対策の主軸となる脱炭素を両立させる切り札と期待されているのが再生可能エネルギーなのです。

再生可能エネルギーは「太陽光、風力その他非化石エネルギー源のうち、エネルギー源として永続的に利用することができると認められるものとして政令で定めるもの」と定義されており、種類としては次のようなものがあります。

- **太陽光**：太陽からの光と熱を利用します。太陽光発電（光電変換）や太陽熱利用（熱エネルギーの直接利用）などがあります。
- **風力**：地球上に吹く風の動きを利用します。風力発電によって風の運動エネルギーを電気エネルギーに変換するほか、風車のように直接の動力として利用するものもあります。
- **中小水力**：川の流れや落差を利用します。水力発電では水の位置エネルギーまたは運動エネルギーを利用して電力を生成します。水車の形で直接の動力として利用するものもあります。
- **地熱**：地球内部の熱を利用します。熱エネルギーから電力を生成する地熱発電のほか、熱そのものを利用する方法があります。

●**バイオマス**：動植物の有機物をエネルギー源として利用します。木材、農作物、家畜の排泄物《はいせつぶつ》などが原料となり、発電や熱エネルギーの源として使用します。

●**大気中その他の自然界に賦存《ふぞん》する熱**：建物内部の気温と外気温との温度差を利用し、熱を取り出して利用します。空気の温度差のほか、地中の温度や湖水・海水などの水温の温度差を利用するものや、工場などの生産活動で発生した熱（排熱）を利用するものがあります。

　このほかにも、エネルギー供給構造高度化法には明示されていませんが、再生可能エネルギーの範囲に入るものとして、海洋に関するエネルギーも考えられます。

●**海洋エネルギー**：波力、潮力、潮流、海洋温度差を利用して電気エネルギーを生成します。

　再生可能エネルギーの条件には「化石燃料のように利用するといつか枯渇する有限のものではなく、永続的に利用できるものであること」「電気を発生させたり自然の力を直接受けたりして動力源として利用するものと、熱源として利用するものがあること」「太陽

［図表1］再生可能エネルギー

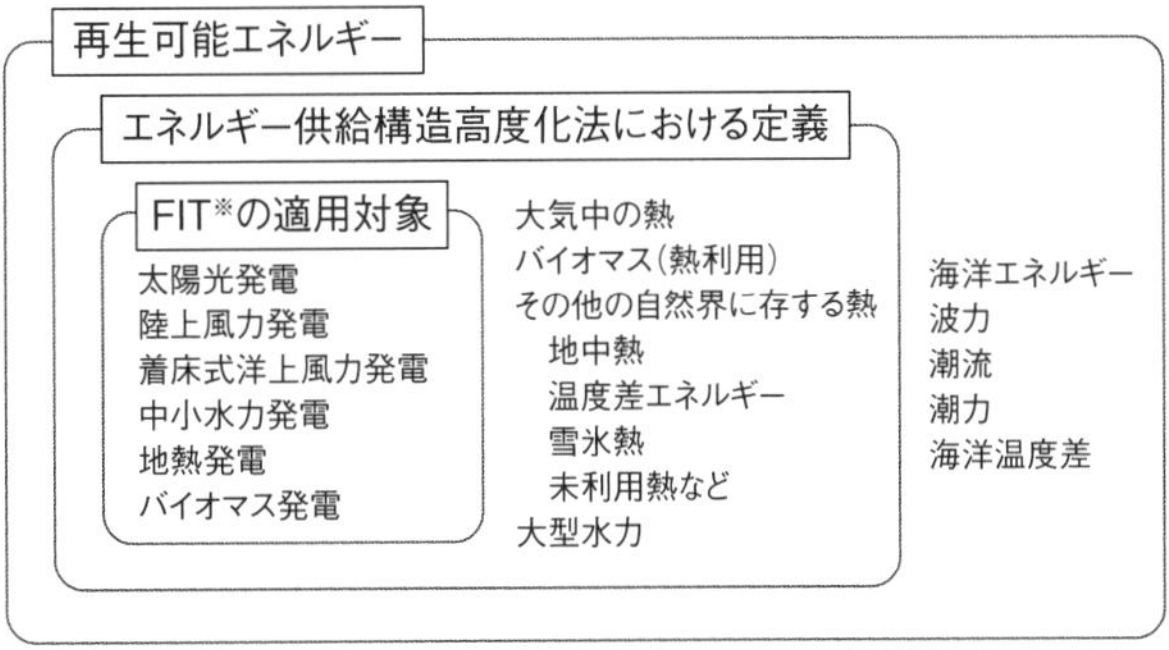

※FIT：電気事業者による再生可能エネルギー電気の調達に関する特別措置法に定められた固定価格買取制度

環境省資料（平成26年度2050年再生可能エネルギー等分散型エネルギー普及可能性検証検討委託業務報告書 第1章 再生可能エネルギー導入加速化の必要性 図1-1 再生可能エネルギーの検討対象）を基に作成

や風、水といった自然の力だけでなく、工場の排熱利用のように人為的な生産活動によって生じたものも対象とする」があります。再生可能エネルギーと自然エネルギーは同じだと理解されがちですが、厳密には３つ目の条件である「人為的な生産活動によって生じたものも対象とする」に自然エネルギーはあてはまらないので、違うものと分類します。

再生可能エネルギーは なぜ注目されるようになったのか

　再生可能エネルギーが世界的にクローズアップされたのは１９７０年代に入っ

てからのことでした。１９７３年、１９７９年と2度にわたるオイルショックにより生産活動が石油に依存するリスクが明らかになって、世界各国がエネルギーの安全保障のため、利用の効率化とエネルギー源の多様化を模索し始めたのです。

日本は石油資源をもたない国です。石油の安全保障問題の衝撃は大きく、第一次オイルショックの翌年には石油だけに頼らない長期的なエネルギーの安定供給の確保を目指す「サンシャイン計画」が進められました。その後は、まずエネルギー利用の効率化を図る省エネ法（正式名称「エネルギーの使用の合理化等に関する法律」）が１９７９年に、翌年にはエネルギー源の多様化を目指す代エネ法（正式名称「石油代替エネルギーの開発及び導入の促進に関する法律」）が策定されました。

こうして１９８０年代から、省エネの取り組みとあわせて、太陽光や風力、バイオマスといった資源に注目が集まるようになっていきます。これらの取り組みは、経済が活発化したバブル期に下火になりかけたのですが、１９９０年代から２０００年代になって、再生可能エネルギーの重要性が再び強調されるようになりました。

背景となったのは、地球規模の重要課題である地球温暖化による気候変動への懸念です。オイルショック時に策定されたサンシャイン計画は、１９９３年に「ニューサンシャイン計画」に改められ、翌年には新エネルギー導入大綱を策定しました。そして、世界で初めて気候変動に関する国際連合枠組条約（京都議定書）が策定された１９９７年には新エネ特措法（正式名称「新エネルギー利用等の促進に関する特別措置法」）が施行され、新エネルギーの導入が促進されるようになりました。このように、エネルギーの安定供給の問題と地球温暖化問題の二つの方向から、再生可能エネルギーが期待されるようになってきたわけです。

　エネルギー自給率がとても低い日本では、枯渇するエネルギー資源に関する課題も数多くあります。実際に２０２０年度のエネルギー自給率はわずか11・３％。９割近くを輸入に頼っています。これは、ＯＥＣＤ（経済協力開発機構）諸国の中で下から２番目の低い水準です。

　日本の自給率の低さは、国内に石油や石炭、天然ガスといった化石由来の資源が乏しいことが大きな原因となっています。日本の経済活動はその大半を化石燃料に依存しています。第一次オイルショックが起きた１９７３年度は化石燃料依存率が実に94・０％だったのです。危機感もあらわに国を挙げてエネルギー源の分散化が進められたものの、その内容は石油から天然ガスへの転換といった同じ化石燃料の中のものや原子力発電の増加でした。その最中に発生した２０１１年の東日本大震災以降は、原子力発電所の停止により、化石燃料が増加しています。

エネルギー源を海外輸入に頼っていると、紛争や政治的な思惑などにより原価が吊《つ》り上げられたり輸出が停止されたりして燃料や原料の価格高騰や供給中断が生じ、国内の経済活動に大きな影響を与える恐れがあります。大量にエネルギーを輸入すると貿易赤字が拡大して国際的な競争力が落ち、信用度にも影響を与えかねません。エネルギーの自給率向上は、自国の経済を安定させるエネルギーの安全保障上でも重要な課題といえるのです。

脱炭素社会に向けた再生可能エネルギーの活用

CO_2排出量のうち、その多くを占めるのが「エネルギー起源CO_2」といわれるものです。これは、発電や動力源として化石燃料を燃焼させる際に生じるものや、原料の化学的変化など産業プロセスで発生するもの、輸送などで生じるものがあります。つまり、CO_2

の排出抑制とエネルギーのあり方は表裏一体だともいえるのです。

エネルギーは、人間の生産活動や生活水準といった社会環境に直結する問題です。一般的に、経済が成長するほどCO_2の排出も増えるという相関関係があるとされています。とはいえ、排出量を減らすために、経済成長を抑え生活水準を下げなければならないという方向で考えたのでは社会は行き詰まってしまいます。経済を持続的に成長させつつCO_2も削減する。ここで重要となるのが、化石燃料によらない再生可能エネルギーです。

では、具体的にはどのように進めていけばよいのか、社会活動におけるエネルギーの消費とCO_2の排出量の関係は、次の要素で考えることができます。

① エネルギー消費あたりのCO_2排出量
② 経済活動上のエネルギー使用量
③ 人口あたりの経済水準
④ 人口

CO_2の排出量を減少させるにはそれぞれの値を低くする必要があるわけですが、③や④を低くすると経済成長が止まり、生活の質低下につながってしまいます。したがって、

①と②の値を低くするため、従来の化石燃料から再生可能エネルギーへの転換を行うエネルギー供給の低炭素化、省エネルギーで成果を上げるように生産技術を向上させるエネルギーの効率化という2つが重要になってきます。

　実際の経済活動でみると、エネルギーの効率化（省エネ活動）を先に行い極力エネルギーを使わずにすむ仕組みをつくったうえで、それでも必要となるエネルギー分を再生可能エネルギーで賄うことにより、実質的なCO_2ゼロの状態を目指せるわけです。

　日本はオイルショック以来、エネルギー効率化の技術は世界一の水準ともいわれています。さらに、夏場と冬場の一時的な需要増大時に発生する電力不足への対策として、消費量の削減（セーブ）だけでなく、負荷が集中しないよう消費の時間帯をずらすピークシフトや、ヒートポンプと蓄熱を活用してピークとなる時間帯の電力需要を分散させるピークカットといった、単純な消費電力だけでなく年間の季節や一日の時間帯といった時間軸の概念も取り入れた取り組みが進められました。

　もうひとつ、CO_2の削減に向けて覚えておきたい重要な観点として「ライフサイクルCO_2」があります。これは、一連の生産活動の開始から終了までの全期間を通じて排出するCO_2を総合的に考えるものです。環境問題の議論が活発になりだした１９９０年代頃から取り入れられた「ライフサイクルアセスメント」という考え方に基づいており、ＩＳＯ（国際標準化機構）の策定する環境配慮に関する国際規格であるＩＳＯ１４０００シリーズの構成内容にも入っています。

CO_2は、製造時だけではなく原料を確保したり生産したりする際にも、また消費者が使用している間も、さらには廃棄される際にも排出されます。エネルギーに関しても同様で、発電所が建設されてから解体されるまで、また稼働中に繰り返される燃料の採掘から輸送、加工、燃焼、廃棄物処理のプロセスでもCO_2は排出され続けます。

日本の発電の資源別にみると、石炭、石油、天然ガスの順にライフサイクルCO_2の排出量が大きくなっています。これらは燃焼の際にCO_2を大量に排出する火力発電のエネルギー源です。ライフサイクルの中では、発電を行う稼働時の燃料燃焼が大半を占めています。これに対し、太陽光や風力、地熱などの再生可能エネルギーの場合、発電所や設備の建設・解体などの過程ではCO_2を排出するものの、発電を行う稼働時には排出しません。火力発電は燃焼時に得られる発電量が安定していることから重宝されていますが、

CO_2排出量を抑制する観点からは、再生可能エネルギーによる発電の割合を増やす必要があるわけです。火力発電は発電量の調整役として活用するとともに、燃焼時のCO_2を分離・回収して再利用する「カーボンリサイクル」といった対策が重要となります。なお、原子力発電についてはウラン燃料の製造や発電所の建設といった過程でCO_2を排出しますが、発電時には排出しないため、ライフサイクルCO_2としては低く抑えることができます。東日本大震災時の事故以来、安全に稼働させるうえでの基準がより厳格化されている点や、廃棄物の最終処分に関する課題はありますが、今後の発電で、再生可能エネルギーとともに最も重要であるといえます。

カーボン・ニュートラル、カーボン・オフセット……さまざまな取り組み

「カーボン・ニュートラル」と「カーボン・オフセット」はCO_2削減に関する取り組みでよく用いられる用語です。

カーボン・ニュートラル（Carbon Neutral）とは、市民、企業、NPO／NGO、自治体、政府などの組織やその活動、生産される製品、消費する人などが、直接的また間接

的に温室効果ガスを排出していることを認識し、自らの責任として主体的にCO_2の削減に向けた努力を行い、削減が困難な部分の排出量についてはほかの方法により排出削減・吸収を実現するプロジェクトや活動を実施するなどして埋め合わせ、CO_2の排出を実質上ゼロにした脱炭素の状態をいいます。

カーボン・ニュートラルとよく似た言葉に「脱炭素」がありますが、脱炭素とはCO_2の排出量そのものをゼロにすることを指します。カーボン・ニュートラルは、排出量と吸収量でプラスマイナスゼロを目指すものですから厳密な意味では異なるものの、一般的にはほとんど同義に扱われます。

カーボン・オフセット（Carbon Offset）とは、カーボン・ニュートラルに向けたCO_2削減を行ったうえで、削減しきれなかった部分の排出量をほかの形で埋め合わせ（オフセット）しようとするものです。具体的には、ほかの場所で実現した排出削減・吸収の取り組みに資金提供（クレジット〈環境価値〉として購入）したり、ほかの場所で排出削減・吸収を実現するプロジェクトや活動を自ら実施したりすることで相殺します。

環境省では、２００８年に「我が国におけるカーボン・オフセットのあり方について

（指針）」を公表しました。カーボン・オフセットには以下のようなものがあり、多岐にわたることが分かります。

- ●オフセット製品・サービスの製造・販売
- ●会議・イベント開催時のオフセット
- ●自己活動（自組織の事業活動）でのオフセット
- ●クレジット付き製品・サービスの製造・販売
- ●寄付型オフセット（製品やイベントの売上の一部をクレジット購入に充てるなど）

例を挙げると「住宅用太陽光発電システム・燃料電池の設置によるCO_2排出削減をクレジット化し、企業が得る収益を自治体の環境保全活動に活用する仕組みを構築、市民に身近な環境イベントを行って普及啓発を図る」「ふるさと納税の返礼品として地元の森林から創出したクレジットをメニューにしてカーボン・オフセット証明書を発行することにより環境への貢献を周知する」「地産地消の商品にクレジットを付与した寄付型オフセット商品として販売することにより商品購入を通じた環境保全活動に貢献できる仕組みにする」などといったものがあります。カーボン・オフセットは、総合的な脱炭素への取り組みを長期的また継続的に進めるカーボン・ニュートラルの取り組みの一部として、短期的な相殺手段を指しているともいえます。

CO_2の排出をいきなりゼロにすることは困難ですから、段階的に取り組みを進めるためにもカーボン・オフセットを行うことは有効です。クレジットのような形でCO_2の排出量を「見える化」し、自身（自社）の温室効果ガスの排出量を把握することで自分ごととしてとらえやすくなり、現行のライフスタイルや経済活動の延長線上で主体的に低炭素の取り組みが行えるというわけです。

カーボン・オフセットの考えが浸透し、CO_2削減の活動が社会に定着していくことにより、カーボン・ニュートラル、さらには大気中に排出されるCO_2などの温室効果ガスの量が、森林などに吸収される量よりも少ない状態であるカーボン・マイナスへとつながる経済の展開が期待されます。

２０２０年10月、日本政府は２０５０年までにカーボン・ニュートラルの実現を目指すことを宣言しました。具体的な取り組みとして、２０２１年4月、２０３０年度に温室効果ガスを２０１３年度比で46％削減し、さらには50％の高みに向け挑戦を続けることを表明しています。さらに、特に２０３０年までに集中して行う取り組みや施策を中心に、行程と具体策を示す「地域脱炭素ロードマップ」が策定されました。

少子高齢化であらゆる経済活動が縮小に向かうなかで、地域単位で行うCO_2削減の取り組みは、経済の抑制から成長の機会へと積極的に脱炭素をとらえ直した地域経済の新しい成長戦略ともいえます。自治体・地域企業・市民など地域の関係者が主役となり、地元の自然資源や地域特性を活用して経済を循環させ、産業と雇用、交通、暮らし、防災などのあらゆる分野で自律的・持続的な地域社会をつくる、その中心となるのが再生可能エネルギーを軸としたカーボン・ニュートラルだといえます。

企業活動の観点からみても、カーボン・ニュートラルへの取り組みには将来性があります。例えば、近年のトレンドであるＤＸ（デジタル・トランスフォーメーション）による競争力の向上に影響されたかのように「ＧＸ（グリーン・トランスフォーメーション）」という考え方も出てきました。２０２２年には政府による「ＧＸ実行会議」も設置され、

ＧＸ実現に向けた基本方針が閣議決定されました。
トランスフォーメーション（Transformation）には大変革や根本的な変化という意味があります。つまりＧＸは、単なる環境にやさしい選択以上に社会や経済のシステムそのものを持続可能で環境にやさしいものへと根本から変えていくことを指します。ほかの環境保全の取り組みとの大きな違いはＧＸの示す変革の深さと範囲です。多くの環境保全活動は既存のシステムや生活様式のなか、リサイクルの促進や省エネ製品の使用といった形で、より環境にやさしい選択を促すものです。ＧＸはさらに進んで、産業構造、エネルギーシステム、経済活動、消費者の行動様式までを含めた全体での変革を目指します。

例えば、エネルギーシステムを化石燃料中心から再生可能エネルギー中心へと根本から変える。これは単に「再生可能エネルギーを使う」以上に、「エネルギーシステムそのものを変える」という意味をもちます。また、経済活動を行ううえで環境への影響を前提とした計画を立て、持続可能性を経済成長の中心に置く。これは、経済と環境が別々のものではなく互いに支え合うシステムとして機能するよう統合させることを意味します。消費者行動の変化も重要な要素です。環境にやさしい選択が「通常の選択」となるような社会をつくる、つまり人々の価値観そのものを変え、社会全体での価値観を変革させるのです。

このように、ＧＸの目指す「トランスフォーメーション」は、環境保全を超えて社会全体での大きな変化を促すものです。そのため、技術的な革新だけでなく、政策、法制度、教育、個人のライフスタイルの変化など、多方面からのアプローチが必要とされています。

社会全体を変革させるＧＸは、CO_2削減やカーボン・ニュートラルに向けた取り組みを実現させるための活動を、企業の経済成長の機会ととらえて産業競争力の向上を図る取り組みとし、日本の技術や環境への投資をガラパゴス化させることなく積極的に発信・提案して経済社会システム全体を強靭《きょうじん》化します。持続的な成長の実現を目指す産官学共同の場として「ＧＸリーグ」というプラットフォームも立ち上がっています。

再生可能エネルギーの導入状況

国の政策では、基本的な方向性を示すものとして基本計画がまとめられます。エネルギーについては「エネルギー基本計画」があります。再生可能エネルギーを主力の電源とする方向は第5次計画から盛り込まれました。最新版は、「第6次エネルギー基本計画」

で、このなかには、気候変動問題への対応として２０５０年のカーボン・ニュートラルの実現に向けた課題と対応や、日本のエネルギー需給構造が抱える課題の克服などを中心に、さまざまな方針が盛り込まれています。

再生可能エネルギーは、設備などの技術が進展し発電コストが急速に下がってきたこともあり、化石燃料による電力と比べても競争力のあるものとなって、世界的に導入量が増加しています。日本は太陽光発電の伸び率が高く、２０１１年度に10・４％だった再エネ比率（水力を含む）が２０１９年度には18・１％と拡大しました。国土面積あたり・平地面積あたりでみると太陽光発電の導入量は主要国で最大、導入容量は世界第６位となっています。

太陽光発電が大きく伸びた背景には、２０１２年7月に導入されたＦＩＴ（固定価格買取制度）が関係しています。再生可能エネルギーによる発電の技術が進みコストが低くなってきているとはいえ、日本における発電コストは国際的にはまだ高い状況にあります。このため、導入拡大に向けて設けられたのがＦＩＴです。

この制度は電力会社が買い取る費用の一部を国民からの賦課金という形で集めているた

め、今後は、国民負担を抑えながら導入拡大を図る必要があります。そこで、再生可能エネルギーの発電コストをほかの電源と比べて競争力をもつ水準まで低減させ、ＦＩＴに頼らずに自立的に導入が進む状態を実現できるよう、入札制の活用や中長期的な価格目標の設定、技術開発の支援などの取り組みが進められています。

　また、ＦＩＴの制度を悪用しないよう、認定を受けたにもかかわらず長期にわたり運転を開始しない長期未稼働の事業の認定を失効させる制度や業者情報の公表の拡大など、事業者が開始から廃止まで適正に運用するための対策の法整備も進んでいます。

　ＦＩＴが開始されて以降、環境や景観といった地域の公益を守るために、地方自治体が条例やガイドラインを定める例が大幅に増えています。事業者がこうした法令を遵守することは、再エネ特措法でも定められており、全国の条例を調査・分析してデータベースをつくり、各自治体の実情に応じた条例の策定を後押しするとともに、全国の自治体と連携して条例による取り組みの事例などの共有も進んでいます。

　もうひとつ、安全面に対する関心も高まっています。近年は気候変動の影響により、台風や大雨といった自然災害の頻度や規模が大きくなっています。設置件数が多いため事故件数も増加している太陽光発電設備については、２０２１年から安全に関する防災対策などの技術基準を新たに設けており、事故の報告もすべての規模の設備について義務化されました。

このような取り組み以外にも、ほかの電源と同じように発電事業者が卸電力市場や相対取引（発電事業者と小売事業者が卸電力取引所を介さずに直接電気を売買する方法）で自ら売電し、市場価格を踏まえて算定される一定のプレミアムを受け取る「ＦＩＰ制度」が２０２２年４月からスタートするなど、電力システム全体のコスト低減を図る取り組みも進められています。

新たな財政負担を必要とせず、再生可能エネルギーの導入促進を側方から支える制度にＥＳＣＯ事業があります。ＥＳＣＯ事業（Energy Service Company）は、省エネルギーに関する包括的なサービスを提供して設備を導入した利用者の利益と地球環境の保全に貢献するビジネスを指します。省エネルギー改修にかかるすべての経費は、導入後の省エネルギー効果（光熱水費の削減分）で賄われることを基本とします。

ＥＳＣＯ事業を実施したことで利用者が損失を被ることがないよう事業採算性が重視さ

れ、エネルギー削減効果が保証契約値に達しなかった場合は、ＥＳＣＯ事業者がペナルティーを支払い、利用者の利益は保証されます。万が一、省エネルギー効果を発揮できず、利用者が損失を被るような場合には、ＥＳＣＯ事業者が補塡します。このため導入にあたって利用者側に新たな財政支出の負担はかかりません。さらに、契約期間終了後の光熱水費の削減分はすべて利用者の利益になります。事業開始初年度から従来の光熱水費支出以上の経費負担が発生せず、同時に省エネルギーを推進し、温室効果ガス排出削減を実現することが可能となる制度です。

基幹エネルギーとしての再生可能エネルギー利用

再生可能エネルギーによる発電技術はさらなる進展を続け、導入コストはますます低下しています。国際再生可能エネルギー機関（ＩＲＥＮＡ）が２０２３年8月に発表した「Renewable Power Generation Costs in 2022（２０２２年の再生可能エネルギー発電コスト）」によると、２０１０年と２０２２年を比較した場合、太陽光発電の均等化電力コスト（ＬＣＯＥ）は89％も下がって０・０４９米ドル（約7円）／ｋＷｈ、陸上風力発電では69％下がって０・０３３米ドル（約５円）／ｋＷｈとなり、最も安価な化石燃料の火力発電コストよりも低くなっています。つまり、世界のトップレベルでは、再生可能エネルギーはもはや化石燃料と同レベルかさらに安価な発電コストで実現しているわけです。

また、再生可能エネルギーの特性として、太陽光や風力については、気象状況に利用効果が左右される不安定なところが課題となります。このため、需給の実態把握からの精密なシミュレーションや蓄電も含めた調整機能を備える必要があり、このような技術研究を促進する取り組みも待たれます。

同じ自然由来のエネルギーでも昼夜を問わず安定した発電が可能なのが水力や地熱です。これらは一定量の電力を低コストで安定的に供給できる「ベースロード電源」として有力視されています。

このように、再生可能エネルギーは、化石由来のエネルギー資源をもたない日本にとって、基幹エネルギーとして大きく期待されるものであり、太陽光や風力の利用は一定程度の浸透がみられるところまできています。しかしながら、その利用は十分とはいえず、未利用のエネルギーが数多く眠っています。その最たるものが熱としての利用です。

再生可能エネルギーは電力のほかに熱として利用することができます。そして、熱の中には、自然由来の熱のほかにも工場の生産活動から生じる排熱のように人為的なものも含まれており、わずかな温度差も有効活用できます。未利用の熱は身近なところに無限に広がっているともいえるのです。

第1章

世界各国で導入が加速する脱炭素時代の切り札となる「再生可能エネルギー熱」

世界最大のエネルギー消費用途は「熱」

再生可能エネルギーとは何かと聞かれた場合にすぐ思い浮かぶのは太陽光発電、水力発電、風力発電、地熱発電といった自然界の資源を使った発電です。エネルギーとは、なんらかの形で生産活動や生命の維持のための活力の源になるものをいいます。直接動かすエネルギーをもつ場合もあるし、燃焼させるなどして電力へ変換する場合もありますが、実のところ、最も身近なエネルギー消費は熱としての利用です。国際エネルギー機関（ＩＥＡ）が発表した「Insights Series 2018」によると、２０１５年のエネルギー消費のうち、最も多いのが熱の利用で52％、次いで輸送に29％、電力（熱を除く）利用に15％となっています。住宅や商業施設、産業における暖房や冷房、調理、温水による生産活動や冷水による冷却など、熱としての利用は実に半分以上を占めており、温めるのも冷やすのも、あらゆる経済活動のなかで「熱」は高い需要をもっていることが分かります。

日本における利用状況は、次ページの円グラフにあるとおり、用途別エネルギーの消費量では、家庭部門で約55％、業務他部門で約42％が、冷暖房、給湯の熱需要です。厨

［図表２］ 用途別エネルギーの消費量

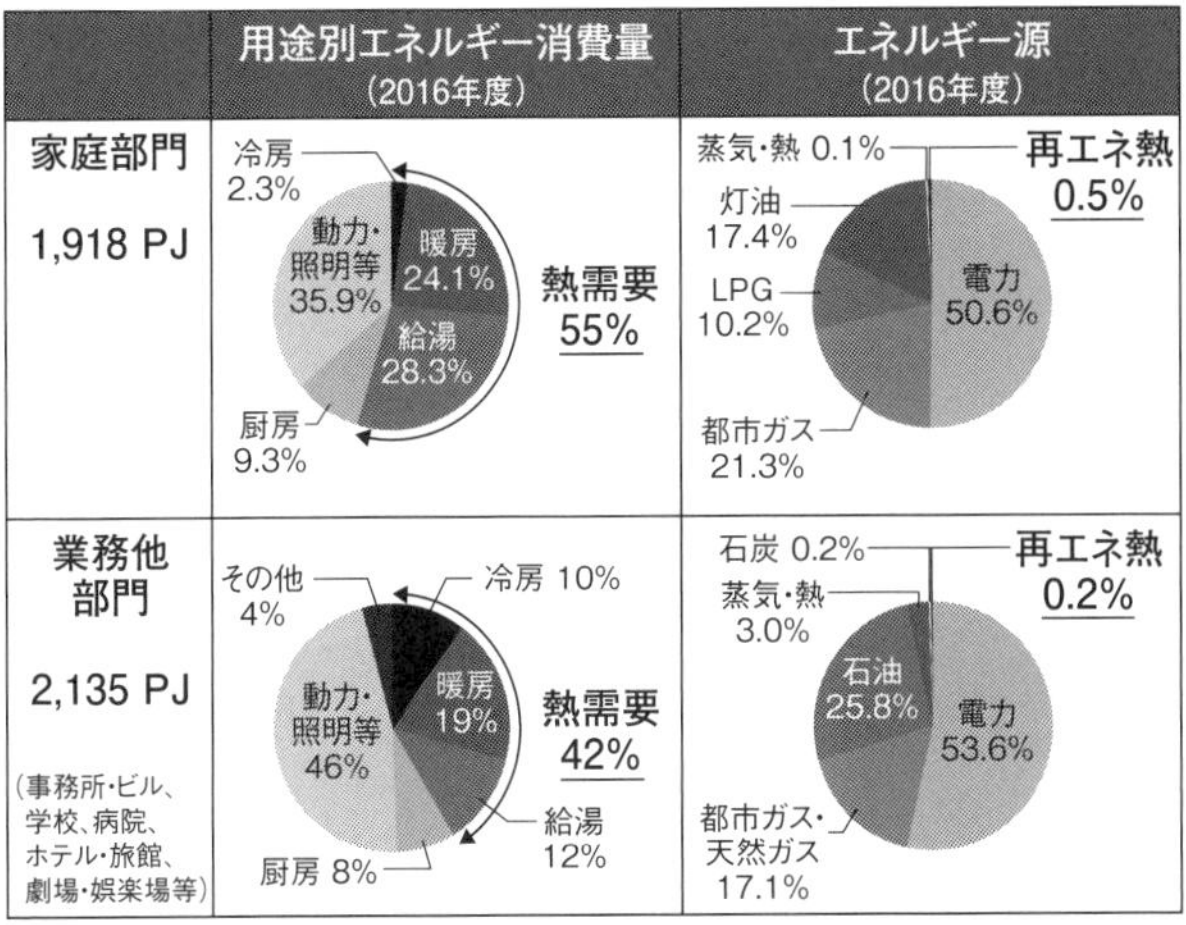

NEDO「2019年度地熱発電・熱水活用研究会」を基に作成

房の熱利用も含めると家庭部門で約65％、業務他部門で50％にのぼります。

熱を直接利用する方法は、電力のようなほかのエネルギーへの変換の際に生じるロスが少ないため、効率的なエネルギー熱の活用につながるのですが、これだけの需要にかかわらず、再生可能エネルギー熱の利用割合は小さいままです。２０１６年度のエネルギー需給実績でみると、再生可能エネルギー熱の利用率は、家庭部門で０・５％、業務他部門で０・２％と、最も低いのです。

再生可能エネルギーの利用に関する技術開発は、これまで電力に大きく傾き、発電の普及が急速に進み、熱利用を大きく引き離しました。特に、陸上風力と太陽光発電のコスト低下は著しく、化石燃料による発電コストと同程度さらにはそれ以下にまでなってきています。これは、これまでのエネルギー政策の主軸が発電に向けられてきたこと、そして、普及や技術的な進展はコスト面ではすでに飽和状態に近づきつつあることを物語っています。

見方を変えると、再生可能エネルギーの熱利用についてはいまだほとんど手つかずの状態なのです。

意外と知られていない、再生可能エネルギー熱とは

再生可能エネルギーのなかでブルーオーシャンともいえる熱利用ですが、代表的なのは太陽熱です。これは太陽光をエネルギー源として直接利用する技術です。ソーラーパネルを利用した太陽熱温水器や太陽集熱器では、太陽光エネルギーが照射されることにより発生する熱エネルギーが、水や空気などの熱媒体を温めます。この熱を住宅や商業施設での給湯、暖房、温水プールなどに利用することができるのです。そのほか、太陽光を一点に

集熱して高い熱を生成し、ソーラークッキングに利用するなども可能です。
自然に発生している熱をそのまま利用しているものとしては、温泉も身近な存在です。地球内部の高い熱（地熱）により地下水が熱せられてお湯になった温泉水は、そのまま汲み上げて入浴に利用したり、配管を巡らせて空気を温め、暖房に活用したりすることができます。日本のように、プレートがぶつかり合ってできた島国は、地殻変動が活発で温泉が各所に湧き出ており、地熱の有効活用が期待されるところです。また、再生可能エネルギー電気に該当しますが、日本には高温の地熱を活用した地熱発電所が東北と九州を中心に約20カ所あり、日本の電力供給の約０・２％を賄っています。

地面の熱の利用としてもうひとつ、忘れてはならないのが地中熱です。季節や昼夜間、天候などにより地表の温度は日々変化しますが、地下１００ｍ前後と比較的浅い地盤中は温度変化が少ないため、熱交換することにより、地上の建物の冷暖房や給湯に利用することができます。

バイオマスによる熱利用もあります。木材や農業廃棄物など、動植物に由来する有機物や下水汚泥をチップ状にしたバイオマス燃料を直接燃焼して得られる熱エネルギーを、住宅や工場の暖房、給湯、調理、温水加温などに用います。

熱は、冷やす目的としても利用できます。雪氷熱ではいわゆる氷室《ひむろ》として、冬季に降り積もった雪や冷たい外気によって凍結した氷などを冷熱源として保存しておき、その冷気を直接用いるほか、雪氷が融解する際に周囲から熱を吸収する性質を利用して農作物などの冷蔵や部屋などの冷房を行います。

再生可能エネルギー熱の大きな特徴として、自然由来のものでない熱の利用も可能であることが挙げられます。工場の製造工程で発生する排熱、冷房を使った際に室外機から出される排熱、人工透析で体温程度に温まった排液の熱など、さまざまな生産活動で発生する熱を取り出して利用することができるのです。

「温度差」は意外なところに存在している

日常生活のなかで最も身近なエネルギーといえる「熱」を余すことなく利用するためには2つの技術が必要になります。ひとつは「蓄熱」、つまり一度獲得した熱の保存、そしてもうひとつが「温度差」、つまり熱の高低差を用いた利用です。

「蓄熱」では、発生する熱（雪や氷などから得られる冷熱も含む）を短時間または長時間蓄えて保温や保冷、加温や冷却に用いることにより化石燃料消費量の削減を図ります。ここでの技術には蓄熱材とそれを用いた蓄熱システムがあります。水や石材などに熱を蓄えておき日中の温水や暖房に使ったり、氷室に冬季の雪や氷を蓄えて夏季の冷房に使ったりするのはよく見かける蓄熱の例です。

一方、「温度差」を使った熱の利用では、熱を利用すると減っていくエネルギー（熱いものや冷たいものがぬるくなったときに移動した差分）や、温度が不足するなどの理由で使い切らずに捨てていた熱（排熱）を再利用し、持続的に熱利用できる仕組みをつくります。これにより、従来の化石燃料の燃焼だけに頼った一方通行の熱供給を変革でき、化石燃料の消費量の削減が可能となります。こうした温度差エネルギーの利用技術としては、熱交換、熱輸送、ヒートポンプ（圧縮式、吸収式）技術があります。

熱は自然に放置すると、高温から低温へと流れていきます。氷によって冷える現象も、熱の本質からすると、氷の周囲の気体や液体の温かさが氷に触れたことにより低い温度へと移動していく熱交換が起きていると考えることができます。温度が高いところから低いところへ流れていくのは水と同じです。

自然な流れだけでは低温から高温へ流れることはありませんから、低いところにあるものを高いところへ引き上げる際にはなんらかの補助動力が必要になります。このとき用いるのが水の場合はポンプですが温度の場合は「ヒートポンプ」が使われます。熱のポンプの意味で「ヒートポンプ」と呼びます。加温利用の場合も冷却利用の場合もヒートポンプです。

温度差の利用では、落差が大きいと、低温から高温へ引き上げる際のエネルギーがより多く必要になります。このため、温度差は小さいほうがエネルギー効率が良いことになります。この性質を利用することで非常に効率の高いシステムを構築できます。また、高い温度の温泉や排熱は熱交換で利用し、熱交換後の熱をヒートポンプで利用することにより熱の有効利用をさらに進めることも可能です。温泉を例にすると、源泉の熱湯を入浴可能な温度まで下げる間に取り出された熱を暖房やシャワーの温水に利用したり、不足した暖房や給湯の熱を温泉の排湯の熱を再利用するヒートポンプを利用して生成し、さらに、それらの利用で残った排熱を駐車場の融雪に利用したりすることで、施設全体で熱を余すところなく有効活用することにより、ボイラーなどの化石燃料の消費を極力抑えることができるわけです。この熱交換の技術で最もキーポイントとなる技術がヒートポンプです。

ヒートポンプで利用できる熱源としては、自然由来のものでは、地中熱、温泉熱、河川熱、海水熱などがあります。また、工場など施設内での生産活動で生じる排熱は、利用者ごとに多様な熱源を生み出しているといえます。下水熱も家庭や事業所からの排熱を利用する熱源となります。このように、温度差を用いた熱利用には大きなポテンシャルがあるのです。

現在の人為起源の生成熱のほとんどは化石燃料由来です。このため、熱の再生利用によって一次エネルギーの消費量を削減できれば、CO_2の排出とエネルギーコストを抑えることができ、パリ協定で定める日本の貢献量（Nationally Determined Contribution：ＮＤＣ）の達成や収益改善などにおいて社会・経済的意義が大いにあるわけです。

つまり、この温度差利用が、再生可能エネルギー熱の活用として最も特徴的であり、熱の性質をよくとらえた方法であるといえます。自然由来のものに限らず、工場の排熱や人肌程度になった温水など、温度差さえあれば熱として取り出して用いることができ、生産活動や生活のさまざまな場面での熱利用が期待できるわけです。

再生可能エネルギー熱の現状

再生可能エネルギーの熱利用は、太陽熱温水器がブームとなった1980年代あたりから認識されるようになっていましたが、その後は発電ほどは注目されませんでした。

エネルギー基本計画に再生可能エネルギーの熱利用が明記されたのは2014年の第4次計画でした。その前の第3次計画（2010年）では地中熱が初めて明記されており、2010年代あたりから本格的に注目されるようになってきたといえます。

新エネルギー・産業技術総合開発機構（NEDO）における取り組みをみても、再生可能エネルギー熱利用の技術開発が大きく進んだのは2014～2018年であり、その後の2019～2023年はコスト低減に関する技術開発にシフトしています。その間にも、地中熱利用に関するガイドラインの整備や導入補助の支援事業が立ち上がるなどの各種制度が整備されていきました。

2018年からの第5次エネルギー基本計画では、この熱利用に関し、より積極的に言及されています。

●エネルギー消費は、熱利用を中心とした用途が過半数を占めている。
●エネルギー利用効率を高めるためには、熱をより効率的に利用することが重要であり、そのための取り組みを強化する必要がある。
●再生可能エネルギー熱をより効果的に活用していくことも、エネルギー需給構造をより効率化する上で効果的な取り組みとなる。

また、熱利用が十分に進んでこなかった背景としては、次の点が挙げられ、熱が賦存する地域の特性を活かした利用の取り組みを進めていくことが重要であるとしています。
●利用するための設備導入コストが依然として高い。
●需要と供給が必ずしも一致せず事業の採算が取れない。
●熱利用に対する認知度が低い。
●熱エネルギーの供給を担う事業者が十分に育っていない。

カーボン・ニュートラルを実現するさまざまな燃料の活用法

現在、カーボン・ニュートラルの実現に向けてさまざまな研究開発が進んでいます。カーボン・ニュートラルを実現するためのエネルギー開発には大きく分けて2つの方向が考えられます。一つは、非化石エネルギーの熱源拡大と過不足ない効率的利用によるCO_2生成の抑制です。そして、もう一つが生成されたCO_2の効率的なリサイクルによるCO_2の削減です。

非化石エネルギーの熱源拡大については、太陽光や地中熱、バイオマスといった自然界のエネルギー源のほかにも、化学的に合成して生成する燃料があります。

例えば、水素エネルギーは、利用時にCO_2を排出しない「ゼロ・エミッション」燃料として導入拡大が図られています。燃料電池車（ＦＣＶ）で知られているように、水素は燃料として利用しても排出されるのは水（H_2O）のみです。また、燃料電池や水素燃焼タービンを通じて水素から直接、電気エネルギーをつくることができ、CO_2が生成されません。

水素は製造分野で長く利活用されている物質です。例えば、原油から硫黄化合物を取り除く工程では水素化処理による接触脱硫法が主流ですし、製鉄の表面加工や樹脂の添加剤、半導体や精密機械の製造工程での還元用ガス、ロケットの燃料などにも利用されています。

このように身近なところで活躍している水素ですが、自然界に単体で存在することは少ない物質のため、利用するにはなんらかの形で水素を分離して取り出す必要があります。

水素を分離して取り出す方法として現在一般的なのは、天然ガスなどの化石燃料を燃焼させて生成したガスから取り出すものと、再生可能エネルギーを利用して水を電気分解して取り出すものです。天然ガスを利用する場合は工程でCO_2が生成されますが、再生可能エネルギーによる水の電気分解の場合はCO_2の排出はありません。この違いから、CO_2の排出の状態にあわせ、「グレー（CO_2を排出する）水素」「ブルー（CO_2を回収し再利用する）水素」「グリーン（CO_2を排出しない）水素」と、3つのタイプの水素があります。

合成燃料として注目されているエネルギー源として覚えておきたいのが、合成メタン（e-メタン）です。これは、触媒技術や反応プロセス技術の活用により二酸化炭素と水素からメタンガスと水を合成するもので、こうした合成プロセスをメタネーションといいます。

合成メタンは、国内の都市ガスやＬＮＧガス、船舶燃料など広く用いられる身近なガスです。メタネーション時に利用する水素を、再生可能エネルギーを用いたグリーン水素とし、さらにCO_2を、ブルー水素の生成時に貯留したものを再利用すれば、ガス生成時のCO_2排出をゼロに近づけることができます。

また、合成メタンガスも石油燃料由来のメタンガスも化学的には同じ物質ですから、都市ガスのインフラなど、既存の天然ガスのパイプラインや貯蔵施設、ガス発電所などを有効利用することができます。天然ガスを合成メタンに置き換えることにより、ガスの脱炭素化を目指せるというわけです。

ゼロ・エミッション燃料として期待される化合物にはアンモニアもあります。アンモニアには炭素が含まれず、燃焼時にCO_2が発生しません。また、アンモニアは肥料の原料として昔から用いられてきたこともあり、すでに流通・貿易インフラも整っており、燃料用途に転換するための高圧化や冷却化などの技術的課題も比較的少ないとされています。触媒を使って窒素と水素を分離させて直接アンモニアを合成することができるハーバー・ボッシュ法という手法も確立しています。

そのほか、核融合エネルギーは、太陽のエネルギー生成のプロセスを再現することを目指して研究開発が進められています。簡単にいうと、水素のような軽い原子核が融合してヘリウムなどの重い原子核をつくりだす過程で放出される大量のエネルギーを利用しようというわけです。ウランなどを燃料とする核分裂とは異なり、海水にも含まれる水素の仲間（同位体）である重水素と三重水素が燃料となります。まだ研究実験の段階は超えず、一般的な利用には技術的な課題が山積しています。

このように、化学的合成やCO_2の再利用によってつくられるものも、一種の再生可能エネルギーの熱源といえます。しかし、こうした脱炭素の技術は、商用ベースにのるほどの一般化を目指した場合、合成の工程は大掛かりになってしまいます。このため、施設・設備のコストが大きくなる、専門の技術者の確保が難しい、輸送や貯蔵などのインフラ整備が必要、反応性の高い物質への安全対策が不可欠など、克服すべき課題が多岐にわたります。実証実験の段階にとどまるものも多く、普及に至っていないのが現状です。

エネルギー利用によるCO_2抑制は、過不足のない効率的な利用という運用の側面からもアプローチが可能です。エネルギーは安定した生成ができるとは限りませんし、利用者も常に一定の需要で消費するわけではないからです。エネルギーの需要と供給の両面から安定性を改善するため、持続可能性や信頼性、アクセス性の向上を図るシステムには、次のような例があります。

エネルギー貯蔵システム：エネルギーの間欠性（エネルギー出力の不安定性）を解決するために、大規模なバッテリーなどの貯蔵システムが開発されています。生成されたエネルギーを非稼働時間に蓄えることで、需要が高まるときに供給することが可能になります。

ディマンドリスポンス：エネルギー需要を安定化させる対策として、エネルギーの使用を利用料金などのインセンティブ（需要の少ない時間帯を安くするなど）で調整し、ピーク時のエネルギー消費量を減少させることにより、利用量を平準化させます。

スマートグリッド：電力の供給網をＩＣＴやＩｏＴなどのデジタル通信技術で最適化させることにより、電力の需要と供給をリアルタイムで調整します。多様なエネルギー源を組み合わせれば、再生可能エネルギーの効率的な統合が可能になり、柔軟性と信頼性が向上します。

マイクログリッドと分散型エネルギー：小規模なエネルギー供給網（マイクログリッド）内で、太陽光や水力、地熱といった再生可能エネルギー源とエネルギー貯蔵装置を組み合わせることにより、地域や施設単位での自給自足型エネルギーシステムを構築します。これにより、中央集中型の電力網に依存しない安定したエネルギー供給が可能になります。

このような技術が世界で進展しているところですが、それでも完全にCO_2排出ゼロにするのは困難です。エネルギーの生成過程では排出されなくても、製造過程で発生が避けられないこともあります。例えば、鉄鋼業は産業部門で排出の約４割を占め、水素を用いた還元反応による製鉄の技術開発も進められているものの、いまだ最大のCO_2排出産業です。セメントは石灰石の焼成過程で脱炭素反応によりCO_2が発生するため、焼成の熱源と製品の化学反応の両方で発生しています。

生産活動でどうしても排出されるCO_2をどうするか。これについては効率的にリサイクルすることで削減を試みる取り組みが進められています。いわゆる「カーボンリサイクル」の技術開発で、CO_2をさまざまな物質に変換させていく技術です。先に挙げた合成メタンなどの合成燃料もカーボンリサイクルで生成される基幹物質といえます。そのほかにも、ポリカーボネートやウレタンなどの含酸素化合物として製品に合成されたり、コンクリート製品や構造物、炭酸塩などの鉱物に変換されたりと、さまざまな形に変化させて有効活用する開発も進んでいます。

これらカーボンリサイクルの取り組みは、「ＣＣＳ」や「ＣＣＵＳ」と呼ばれます。これは、CO_2を有効な資源としてとらえ、分離・回収し、鉱物化や人工光合成、メタネーションによって新たな素材や燃料へと再利用して、大気中への排出を抑制していくものです。

ＣＣＳ（Carbon dioxide Capture and Storage）は、二酸化炭素回収・貯留技術と呼ばれるもので、生産工程で排出されたCO_2を、ほかの気体から分離して集め、地中深くに貯留・圧入することにより保存します。一般的には、CO_2を物理的・化学的方法で分離し回収したあと、圧縮された液体の形態に変換し、パイプラインや船舶を使用して貯蔵地点まで輸送します。その後、使い古したガス田や油田、深部塩水層などの地中深くに注入し、安全に貯蔵することで、CO_2が地表に戻ることを防ぎ、油田に注入することで残った原油を圧力で押し出しつつ貯留を図る取り組みも進められています。

ＣＣＵＳ（Carbon dioxide Capture, Utilization and Storage）は、分離して回収・貯留したCO_2を有用な製品に変換して利用しようというものです。ＣＣＳで分離・貯蔵する技術とカーボンリサイクル技術を組み合わせ、CO_2が大気中に放出されるのを可能な限り抑えていこうというわけです。このため、技術的には、分離・回収、輸送、貯留といったＣＣＳの工程に加え、CO_2の取り出し、メタネーションなどの再利用といった工程があります。

ＣＣＳやＣＣＵＳの技術開発は、経済産業省を中心に、国を挙げて技術開発の支援が行われ、実用化に向けた取り組みが進められていますが、多くの技術がまだ初期の開発段階で、商用利用など社会への一般化は進んでいません。

その背景にあるのがコストの問題です。CO_2を分離させて回収するには、それを吸収する液体を用いる方法、特殊な膜を使って分離させる方法などさまざまな技術があるのですが、コストも含めて実用的なものになるには道半ばです。また、分離・回収した大量のCO_2を貯留するための地層を見つける必要もあり、CO_2を圧縮し、貯留地まで安定的に輸送するインフラ整備も欠かせません。施設・設備が大掛かりになるほど全体の工程で大きなエネルギーを必要とするため、総合するとエネルギー効率が低下してしまいます。さらにいえば、地下に貯蔵されたCO_2が未来永劫安全に保持できるのかという点についても実証されているものではなく、長期的な監視と管理、不測の事態に備えたリスク管理も必要となります。ＣＣＵＳで再利用する場合では、つくられた製品のコストが大きくなると市場の競争に勝てません。カーボン・ニュートラルへの貢献だけを付加価値として生き残ることは困難ですし、ＣＣＵＳ全体の工程で必要とするエネルギーが大きくなると、本当にその製品を利用してCO_2削減になるのかを見極めるライフコストアセスメントの必要も出てきます。

　水素や合成メタンのように人工的に生成する化学エネルギー源の活用や、CO_2を分離・貯蔵・再利用するＣＣＵＳといった技術は、カーボン・ニュートラルを実現するための有効な手段ではありますが、技術的な課題が大きいため、国家単位のプロジェクトや、重厚長大なインフラ産業で開発を進めるものといえます。成果を待っているだけでは未来が遠のいてしまいます。これらの技術開発と並行して、身近に活用できるエネルギー源をさらに使いやすいものにし、地域社会の誰もが手に届く形にしていくことが望まれます。この最前線にあって最も期待されているのが、自然界の熱源を最大限に活用しようとする再生可能エネルギー熱利用なのです。

再生可能エネルギー熱をめぐる欧州の動向

再生可能エネルギーの活用に積極的な欧州では、ＥＵにより欧州全体で熱利用の拡大が明確に位置づけられています。熱利用に関する再生可能エネルギーの割合は、２０２０年には38％まで拡大しました。新しい事象（少数派）が社会構成要素の３割を占めると社会全体へ影響力をもつようになるという「黄金の３割」に達しているといえます。

ＥＵ各国の取り組みを個別にみていくと、ドイツでは２００９年から、エネルギーが冷暖房に使用される専有面積50㎡以上のすべての新築建物所有者（賃貸も含む）と新築建物の建物所有者に対し、建物の冷熱需要の一定割合について再生可能エネルギー利用の義務化を法制化し導入促進を図っています。導入の支援の手段は補助金と低金利融資です。

２０１１年の改正法では、公的機関の既存建物が大規模な改修を行う場合に義務を適用して強化を図り、さらに２０２０年には、建築物の省エネに関するほかの法令と統合する形で、義務要件の規定を引き継いだ建築物エネルギー法（ＧＥＧ）が施行されました。

イギリスでは、再生可能エネルギー熱の固定価格買取制度であるＲＨＩ（Renewable Heat Incentive）が設けられていました。部門は、大きく産業（非家庭）部門と家庭部門に分かれており、ヒートポンプ・水力・バイオマス・地熱・太陽熱が対象で、支援期間は20年間と長期に及びます。この制度は、非家庭部門で２０２１年まで、家庭部門で２０２２年まで実施され、２０２２年９月時点で、非家庭部門は設備数２万２０００あまり（熱量約８万２０００ＧＷｈ）、家庭部門は施設数約11万４０００（熱量約７６００ＧＷｈ）に上りました。

そのほか、２０２２年にＧＨＮＦ（Green Heat Network Fund）を立ち上げました。これは、２０５０年までに一般家庭および事業者の熱からの二酸化炭素排出量を削減するための基金で、現行の熱供給網サプライチェーンの拡大を支援するための資本助成プログラムです。この基金により、２０５０年までに１０００万ｔ以上のCO_2削減を見込んでいます。

フランスでは、再生可能エネルギー熱の利用に対する無利子融資（éco-ＰＴＺ）と、再生可能エネルギー熱を補助する「熱基金」（Fonds Chaleur）の制度を運用し、導入促進を図っています。

éco-ＰＴＺは、天井や外壁などの断熱効率改善改修や再生可能エネルギーを用いた熱・温水供給システムの導入といった７つの項目に該当する熱効率を改善する改修に対し、無利子融資を提供するものです。２０２２年には融資の上限が拡大されました。

補助金「熱基金」は、環境・エネルギー管理庁（ＡＤＥＭＥ）のもとで運用されており、全国レベル、地域圏レベルで自治体・事業者（農業、第三次産業）を対象に公募され、支援対象の選定が行われます。全国レベルではバイオマスと太陽熱が対象で、地域圏レベルではバイオマスや太陽熱以外の再生可能エネルギーも対象となります。

再生可能エネルギー熱が未開拓の日本は可能性にあふれている

再生可能エネルギー熱の利用は、今後２０５０年のカーボン・ニュートラルを実現させるうえで、さらに役割が大きくなっていくと考えられます。国内の熱需要量の合計（約２４００ＰＪ／年）は、国内の再生可能エネルギー熱を導入するポテンシャルと同程度ともいわれます。未利用の熱源を無駄なくエネルギー熱として利用すれば、カーボン・ニュートラルもカーボン・マイナスも夢ではありません。

国内のエネルギー利用のうち5割以上が熱であることからも、再生可能エネルギーの熱利用が省エネルギーやCO_2削減へ寄与するポテンシャルは高く、特に温度差が大きくなる寒冷地については熱需要に対する効果が大きくなります。今後は、熱利用に需要があることを自覚し、自主的に再生可能エネルギーで賄っていける導入・運用の仕組みを整えていくことが期待されます。

一方で、再生可能エネルギー熱の利用については、設備導入コストが高くなってしまうことや、現状では熱の需要・供給のバランスがとれていないこと、ヒートポンプをはじめとする再生可能エネルギーの熱利用に関する知識や技術を適切にもった事業者が十分には育っていないことなど、活用を進めるにあたっての課題はまだあります。

特に地盤を熱源として用いる地中熱ヒートポンプの場合、日本は地層が複雑なため、どうしてもボーリングコストなどが高くなってしまいます。地中熱利用の対象となるのは、１００ｍ程度までの地下浅部ですが、日本の場合、平野部は河川の氾濫により形成された沖積層と呼ばれる粘土・シルト砂・砂礫《されき》からなる未固結の地層で構成されています。また、地震大国の日本では、火山灰に由来する崩れやすい地層も多く分布します。平野や扇状地の砂礫層には豊富な地下水が流れ、その下に基盤と呼ばれる固結した地層や岩石が分布しているのです。地中熱を利用する際には、それぞれの層について熱物性を把握し、熱伝導率や熱の移流効果を把握しておくことが重要となるわけです。近年、このような熱の特性に関するデータの集積が進み、地中熱利用の「土壌」が醸成されてきているといえます。

また、利用者への働きかけとしては現在、国や自治体による補助金制度やグリーン熱証書の発行など、導入促進に向けた施策が進められています。さらには建築物の省エネルギーを推進する政策・法規制も整備され始めており、再生可能エネルギー熱の利用を後押ししています。

［第2章］

地中熱、温泉熱、雪氷熱……利用されていない「熱」をエネルギーに変える仕組み

再生可能エネルギー熱利用の種類とその仕組み

再生可能エネルギー熱は自然由来のものに限らず、温度差さえあれば差の大きさにかかわらず利用することができます。

２０２１年に閣議決定された地球温暖化対策計画のなかでは、再生可能エネルギー熱は、地域性の高い熱源として、太陽熱、地中熱、雪氷熱、温泉熱、海水熱、河川熱、下水熱などを挙げ、さらには下水汚泥や廃材、未利用材などによるバイオマス熱、廃棄物処理に伴う熱などを紹介し、地域の特性や経済性などに応じて普及浸透を図るよう求めています。特に身近にある熱源として利用していきたいものとして次の６つが挙げられます。

①地中熱
②地熱（温水熱）
③温度差エネルギー
④雪氷熱
⑤バイオマス熱

⑥太陽熱

なお、熱の利用に関する共通の基盤技術として、熱の発生（昇温）と排熱回収、熱交換、熱輸送があり、熱を利用する側は、熱の多段階利用、実運用のための最適化制御技術をもつ必要があります。熱源ごとの利用について理解するうえでは、避けては通れない用語をまとめてみました。

●共通基盤技術

【熱交換技術】 熱交換器を用いて、水・空気など熱を媒介する流体に対し、温から冷へ、あるいは冷から温へと、一方の流体から別の流体へ熱を移す技術です。材料の開発や界面制御、構造の最適化など、高効率化や低エクセルギー損失な熱交換に関する設計の向上が望まれます。

【計測技術（熱流センサー）】 物体や流体が移動する際に伴う熱量の流れを計測する技術です。これにより、熱の効率的な利用や管理が可能になります。流量や流速、温度など、高感度で低価格のセンサー開発が望まれます。

【熱受給最適化技術】　熱のやりとりを最適化し効率を最大化する技術です。熱流の見える化やヒートポンプと排熱発電の最適運用など、各技術要素を最適運用するためのシステム設計やエネルギーマネジメント関連の技術向上が望まれます。

【規格化、標準化】　再生可能エネルギー関連の機器やシステムに共通の基準や規格を設けることで、安全性や互換性を保証します。幅広い熱源・熱出力温度に対応した評価基準を設定し、モジュール化やラインナップ化が望まれます。

●熱の発生（昇温）と排熱回収

【ボイラーなどの代替（ヒートポンプを除く）】　伝統的なボイラーや炉の代わりに使用する、より効率的かつ環境にやさしい熱生成方法です。マイクロ波などの次世代加熱炉や水素・アンモニアなどの燃焼による工業炉などがあります。

【ヒートポンプ】　環境から熱を吸収し、それを圧縮して高温にすることで熱の移動を補助する装置です。高温・大昇温あるいは低温、温冷熱同時利用などの高機能化や、次世代冷媒、大容量・磁性潤滑油などによる次世代圧縮機、吸収式・吸着式などのケミカル対応、高性能除湿・乾燥などの技術向上が望まれます。

【熱発電技術】 産業プロセスや機械から発生する廃熱を回収して電力に変換したり、温度差を利用して電気エネルギーを生成したりする技術です。高効率・低価格の熱電素子の開発や、温度差発電・熱電池や熱化学電池といった熱充電技術の開発が望まれます。

●熱輸送

【遮熱／断熱技術】 建物の断熱材など、熱の流れを遮断または最小限に抑える技術です。軽薄短小かつ高強度の高機能材の開発や構造の最適化、材料熱伝導率や放射率の設計・デザイン、光透過性などの部材機能との両立といった開発が望まれます。

【蓄熱技術】 熱を一時的に貯蔵し、必要に応じて使用する技術です。ヒートポンプを利用した氷蓄熱・水蓄熱、太陽熱や排熱を貯蔵し、夜間や需要ピーク時に供給します。利用温度や利用環境に応じた蓄熱材料やモジュールの最適化、熱入出力特性の制御機能をもつアクティブ蓄熱技術などの向上が望まれます。

【熱輸送技術】 熱を発生源から使用地点まで効率良く輸送する技術です。例えば、温水供給システムなどで、ヒートパイプ・ループヒートパイプの断熱や耐久性の向上、空間配置や形状の改善による輸送の効率化などが望まれます。

●需要サイドでの最適化制御など

【熱の多段階利用】 一度の熱生成で複数の用途に熱を供給する方法です。例えば、高温の蒸気を製造に使用したあと、温度が下がった蒸気を暖房に利用するなど、段階的に活用します。ヒートポンプで昇温と温冷熱同時利用を行うものも含みます。

【実運用のための技術】 再生可能エネルギー熱の実際の運用に必要な管理技術や制御技術です。例えば、以下のようなものが挙げられます。

- AIなどを用いた熱需要・排熱の実態把握・予測、最適システム制御
- 産業用ヒートポンプシミュレーターの適用性向上
- 用役系・化学系連携最適化制御
- データセンター（空調、排熱利用）

・EVなど非内燃機関車の熱需要（除霜等）
・利用温度や熱量に応じた最適デバイス選択
・蓄熱技術などと組み合わせた運用

①地中熱利用

地中熱は、比較的浅い、地表近くの地中に蓄えられている熱エネルギーを利用します。地表は太陽からの熱を受けて、昼夜（一日単位）また季節間（一年単位）で温度が変化しますが、地下深くなるにつれて温度変化の幅が小さくなっていき、10m程度の深さになると年間を通じてほぼ一定の温度になります。一定となったときの温度は、火山活動や温泉があるような地熱の高い地域を除くと、その地域の地表の年平均気温に近くなります。

地下水を汲み上げた井戸水が、地表の水道水と比べて夏は冷たく、また冬は温かく感じるのと同じ原理です。地下水は砂礫層などの帯水層中に流れるため、地中の温度と同じ程度に一定に保たれているのです。

［図表3］（上）地中における温度変化　（下）温度差を利用した省エネルギー

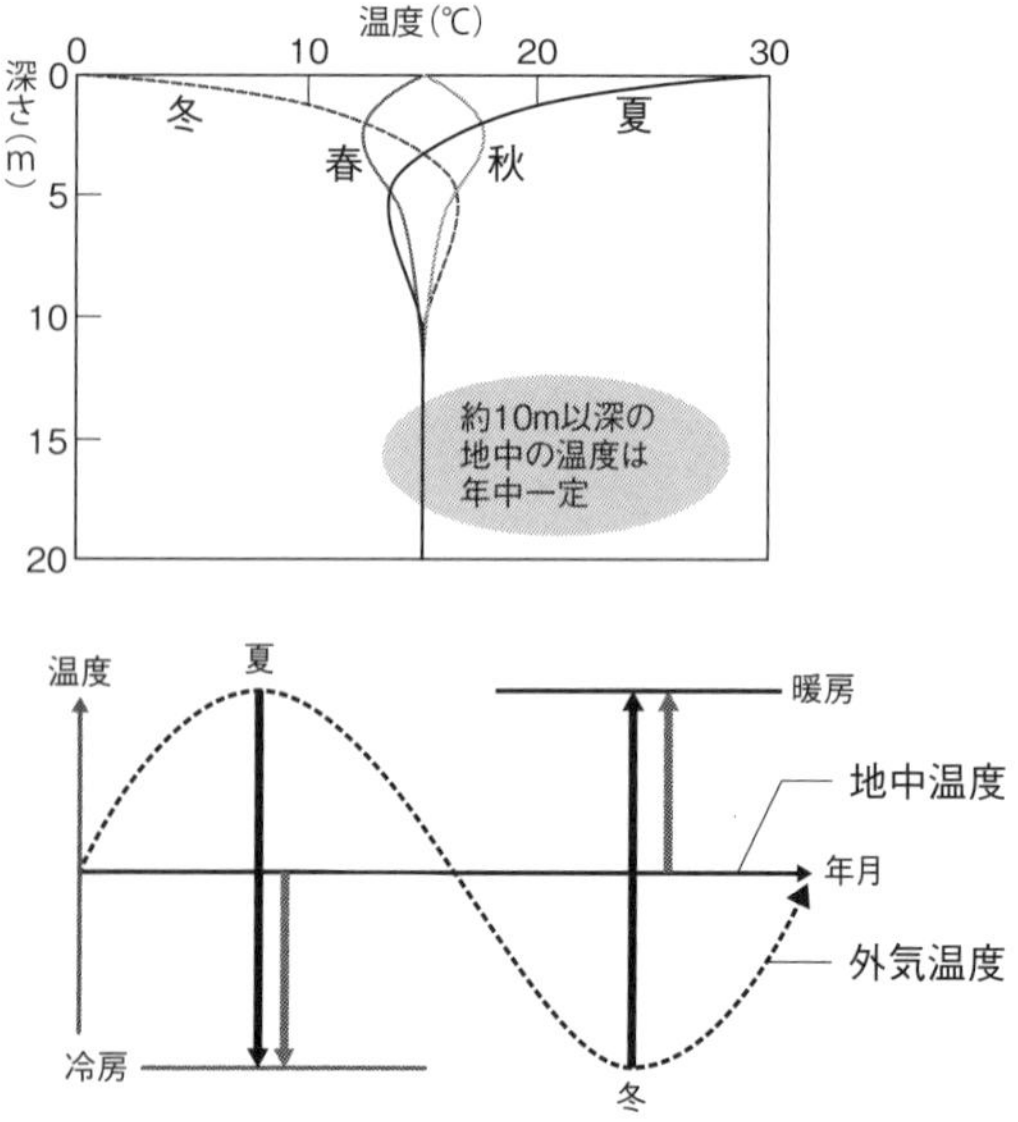

環境省「地中熱利用システム」を基に作成

このように地中熱は、年間を通じて温度が一定しているという特徴を活かし、地中に熱交換の装置を埋めてヒートポンプで熱交換を行い、季節により変動する地表との温度差エネルギーを活用して省エネルギーで温度調整を行います。地中熱には、ヒートポンプ利用のほか、直接熱を伝える熱伝導（古くから用いられてきた穀物・野菜を保存する室《むろ》や縄文時代の竪穴式住居もこの一種）、空気循環、水循

［図表4］熱エネルギーを生み出すシステム（1）

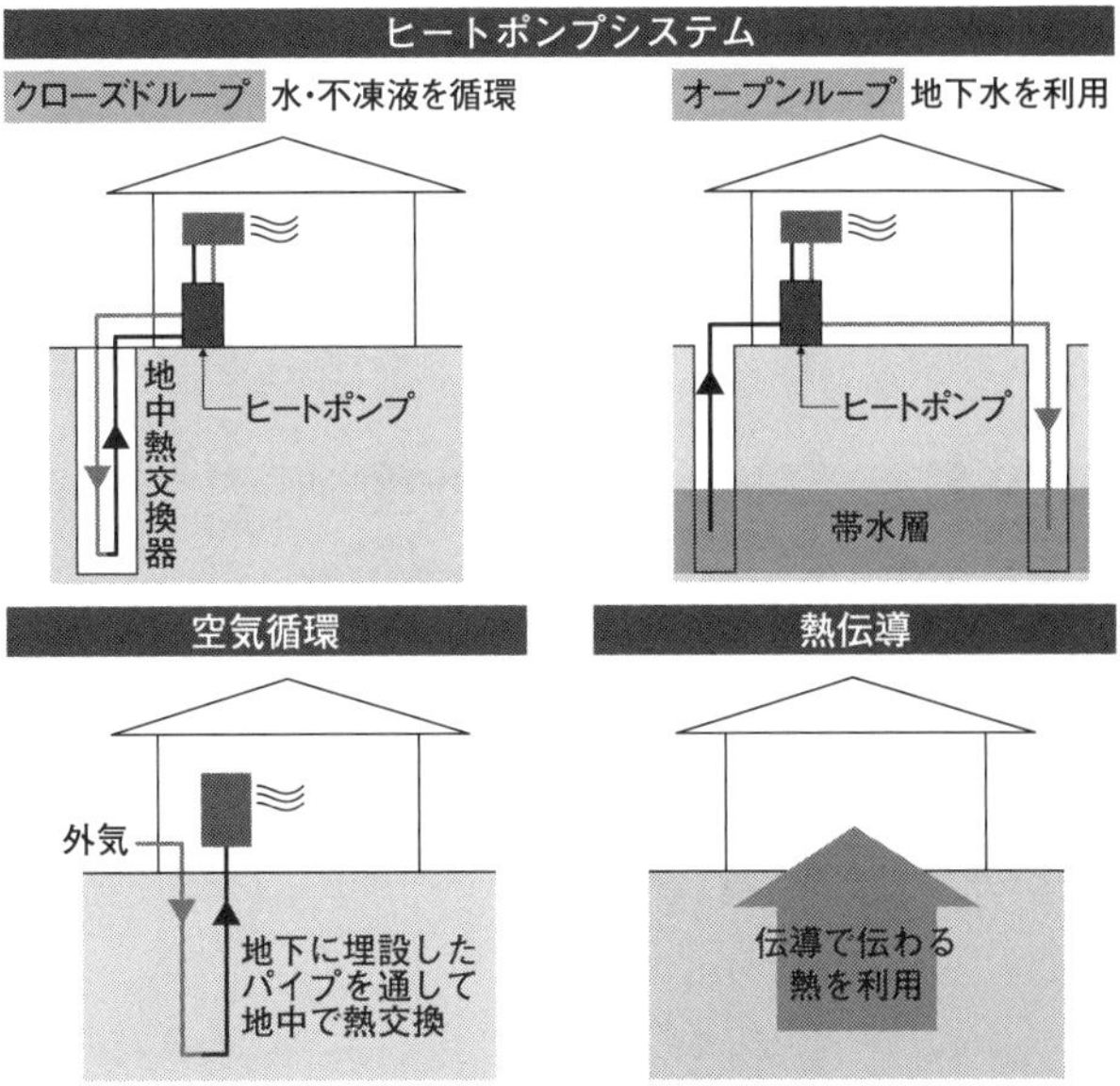

環境省「地中熱利用システム」を基に作成

環、ヒートパイプがあり、用途に合わせて選びます。

ヒートポンプシステムでは、地中に熱交換器を挿し、その中を地下水や不凍液など氷点下でも凍らない液体で満たして循環させるループをつくることにより採熱と放熱を繰り返すクローズドループ方式のほかに、帯水層から地下水を汲み上げ、熱を取り出して再度帯水層に戻すオープンループ方式があります。

熱交換器を挿し込む深度は

[図表5] 熱エネルギーを生み出すシステム (2)

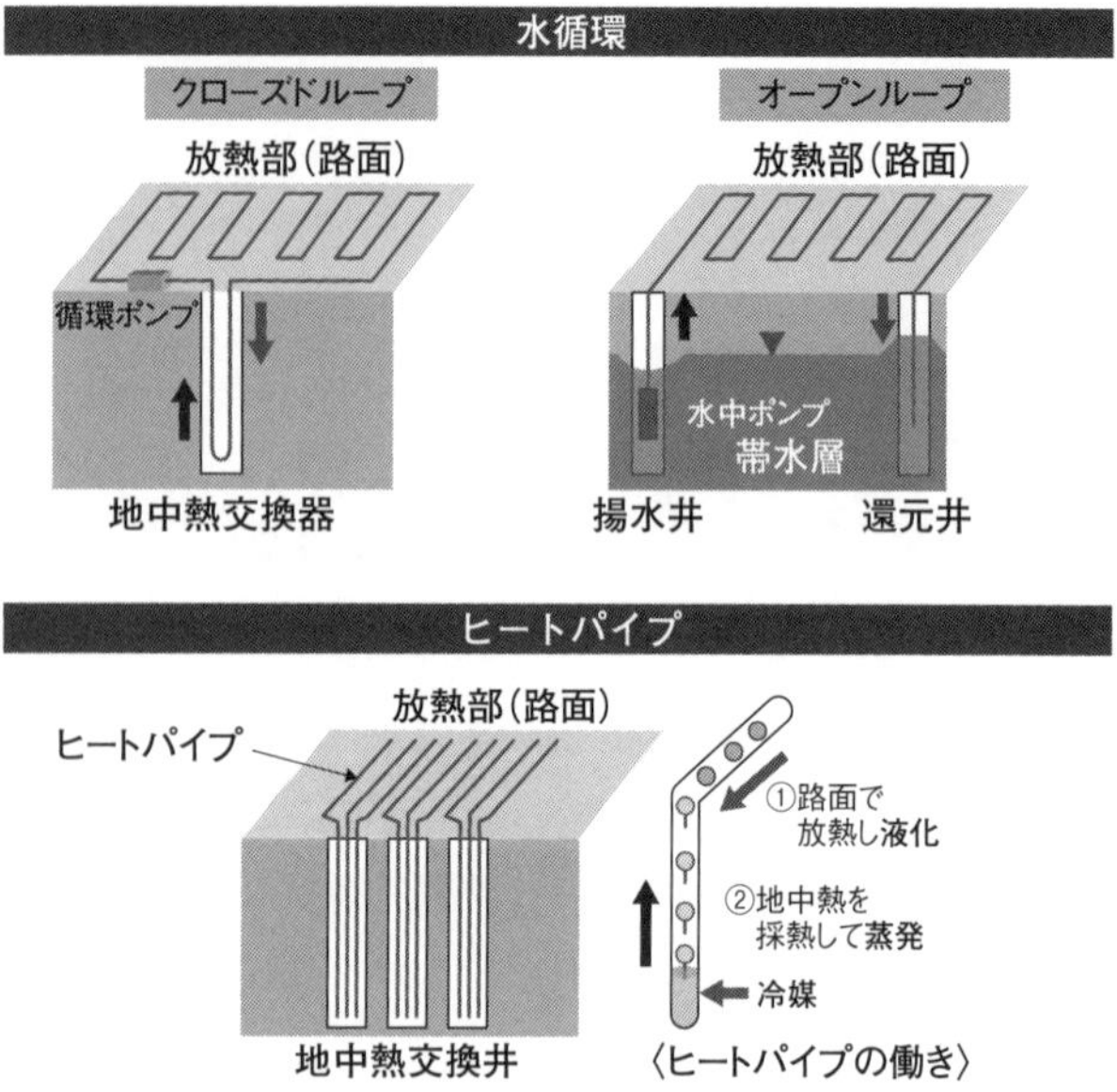

環境省「地中熱利用システム」を基に作成

利用方法によって異なりますが、日本の場合、空気循環で熱交換するシステムでは５ｍ程度、ヒートポンプを使うシステムでは10~１００ｍ程度の深さまで埋設するのが一般的です。地中熱利用が進んでいる欧州では３００ｍを超える深さまで利用されることもあります。

　地中熱は、冬は外気より高温で、夏は外気より低温のため、温熱としても冷熱としても利用することができます。

また、地面が熱を蓄える機能も備えているため、季節間蓄熱など時間差での利用も期待できます。

主な用途に空調と給湯がありますが、入浴施設の加温、保温、融雪・凍結防止、工業・農業利用、室温を保ちながらの換気など、多様な利用形態があります。さらに、加温と冷却を同時に行えるヒートポンプの特長を活かし、温水プールとアイススケート場の同時運営といった利用方法もあります。

民間の住宅から事務所、団体機関の庁舎など、導入先も多様です。建物全体の省エネルギーを目標にするZEBやZEHでも、地中熱の利用は効果的な方法としてシステムのベースになることも多くみられ、建設設備関係者の注目度の高い再生可能エネルギー熱利用法ともいえます。私が長年携わっているなかで最も多い事例も、この地中熱を有効利用したものです。何百以上手掛けてきた納入先は、オフィスビル、工場や倉庫、病院施設、老人保健施設、介護施設、野菜工場、旅館やホテル、観光施設、学校、役所、産業廃棄物処理場など、実にバラエティに富んでいます。地面があるところに、地中熱あり。社会に存在するあらゆる業種業態の建物に、この仕組みを活かした再生可能エネルギーの活用の可能性があるのです。

さらに進んだ利用法として、複数の施設をつないで地域全体へ熱供給を行う地域熱供給もあります。施設の立地する地面の下にある熱を利用するわけですから、地中熱と太陽光や蓄電などを組み合わせることにより、化石燃料に頼らず地域での自立した建物運用にもつながります。災害などの突発事象により商業電力などの供給が停止した場合でも建物への影響を少なくするBCP（事業継続計画）のひとつとしても有効です。

地中熱の導入は、地球温暖化による環境問題が大きくなった2000年頃から増加傾向にあります。環境省の調査によると、2021年度末までの地中熱利用の累計設置件数は全国で8761件あり、ヒートポンプが3分の1強、水循環と空気循環がともに約4分の1、熱伝導が約1割の順となっています。地域別でみると、北海道が最も多く、次いで山形県となっており、東日本から北日本にかけての利用が多い傾向にあります。

②地熱（温泉熱）利用

活火山のある地域や温泉が多い地域では、地熱や温泉水の熱をエネルギーとして利用することができます。

地殻の活動が活発な日本では、全国各地で温泉が湧き出ており、古くから湯治のほかにも煮炊きや暖房など生活の一部として利用してきました。排熱回収と加温の技術が進んだことにより、温泉の熱は、農業ハウスや道路の融雪など、これまで以上に活用の幅が広がっています。温泉の温度は、低いもので約20℃、高温だと１００℃を超えるものもあります。このため、高温の場合は加熱、暖房、給湯に活用でき、中温のものは浴用や花卉《かき》栽培などの保温、低温のものは融雪・凍結防止などに利用できます。これらを段階的に取り出すことができれば、一つのシステムで複数の用途を同時に実現させることができます。このように温泉熱は、ポテンシャルの高い再生可能エネルギー熱といえます。場所によっては、地熱と地中熱の中間のような温度で利用されるケースもあります。

加温と採熱の微調整はヒートポンプと自動制御で効率的に行うことができます。

温泉地の熱や温泉水の利用は古くから行われてきたこともあり、国内で体系的に温泉熱利用に関する統計はとられていません。再生可能エネルギー熱のなかでは太陽熱と同じくらい身近な存在で利用のイメージがつきやすいことから、温泉を利用すればよいという認知は進

［図表6］地熱（温泉熱）利用の仕組み

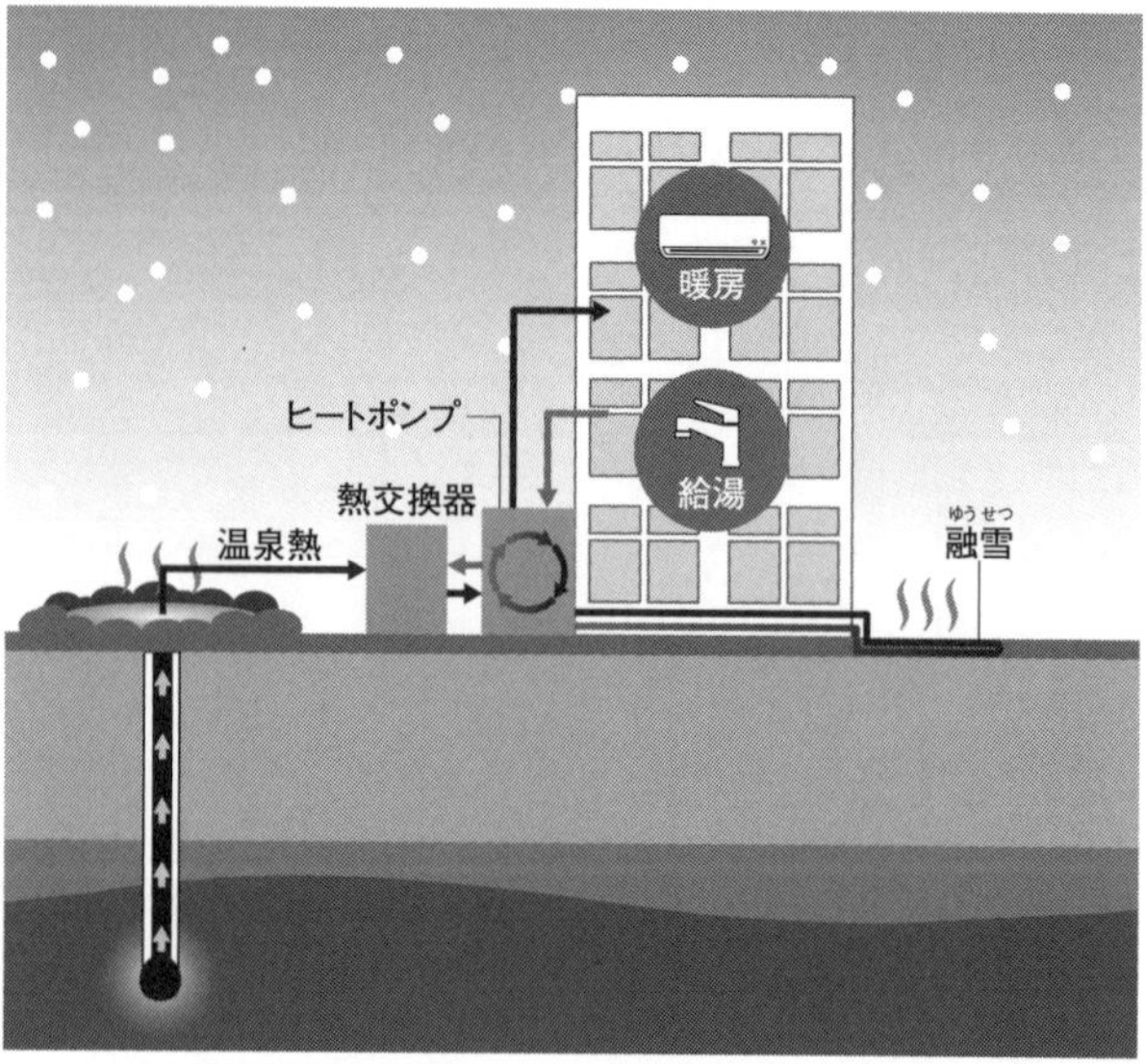

環境省「再生可能エネルギー熱利用の概要・導入事例」を基に作成

んでいると考えられます。とはいえ、浴用や給湯のみといった熱の利用が多く、先述した段階的な多目的利用などはあまり知られておらず、未利用のまま捨てられている熱もまだ多いのが現状です。

　地域固有の自然資源である温泉の熱をあますことなく利用することにより、化石燃料の使用量を削減させて地球温暖化対策や環境保全に貢献するだけでなく、観光や湯治など、地域経済の持続性確保も両立した街づくりや地域の新産業の創出の一助となり、地域のイメージ向上など地域活性化にも貢献できる可能性があります。

③ 温度差エネルギー利用

地中熱も温泉熱も、地中や温泉がもつ温度と利用の際の温度との差を取り出して熱移動させ温度を調整する熱交換の仕組みを用いています。この点では両者とも温度差エネルギーを利用しているともいえます。ここでは、地中熱と温泉熱と同様に、昼夜や季節で気温の変動が大きくなる外気温と比較して保有する温度が一定の再生可能エネルギーの熱源をみていきます。

1997年に施行された「新エネルギー利用等の促進に関する特別措置法施行令」では、第1条に新エネルギー利用等の定義があり、そのなかの第4項が該当します。つまり、河川水や海水、地下水などの、年間を通じて温度変化が少ない水について、夏は外気より冷たく、冬は外気より温かいといった温度差を利用し、ヒートポンプの原理などを用いて採熱と放熱を行うわけです。ほかにも、住宅や病院、宿泊施設などの生活排水や、下水処理水や工業用水（中水）についても、冬季でも熱源としては比較的高い温度があり、利用度の高い熱源となります。

利用方法としては、冷暖房などの空調や給湯、蒸気があります。そのほか、冷却塔の補給水が不要になり、上水使用量が削減された事例もあります。

冬には温かく、夏には冷たく感じる地下水の有効活用は、身近なところでもよく見かけるものです。温度差エネルギーの利用はこの仕組みを徹底して科学的に用いているものだといえます。

このとき要となるのがヒートポンプによる熱交換です。ポイントは温度差があるところにはエネルギーが眠っているということです。温度差にはまだ気づいていない新しい可能性が隠れているのです。私は何百というヒートポンプの設計や設置に携わっていますが、毎回のように再生可能エネルギー熱の新しい使い方に気づかされています。

例えば、浜松市の自社ビルに地下水と太陽熱をうまく組み合わせ、化石燃料によるエネルギーの削減率が１００％を上回るほどになった例があります。この会社では、夏場は井戸水（地下水）の冷たさをそのまま冷房に利用する井水熱直接利用（フリークーリング）

[図表7]（上）地下水熱利用・下水熱利用の仕組み
（下）河川水熱利用・海水熱利用の仕組み

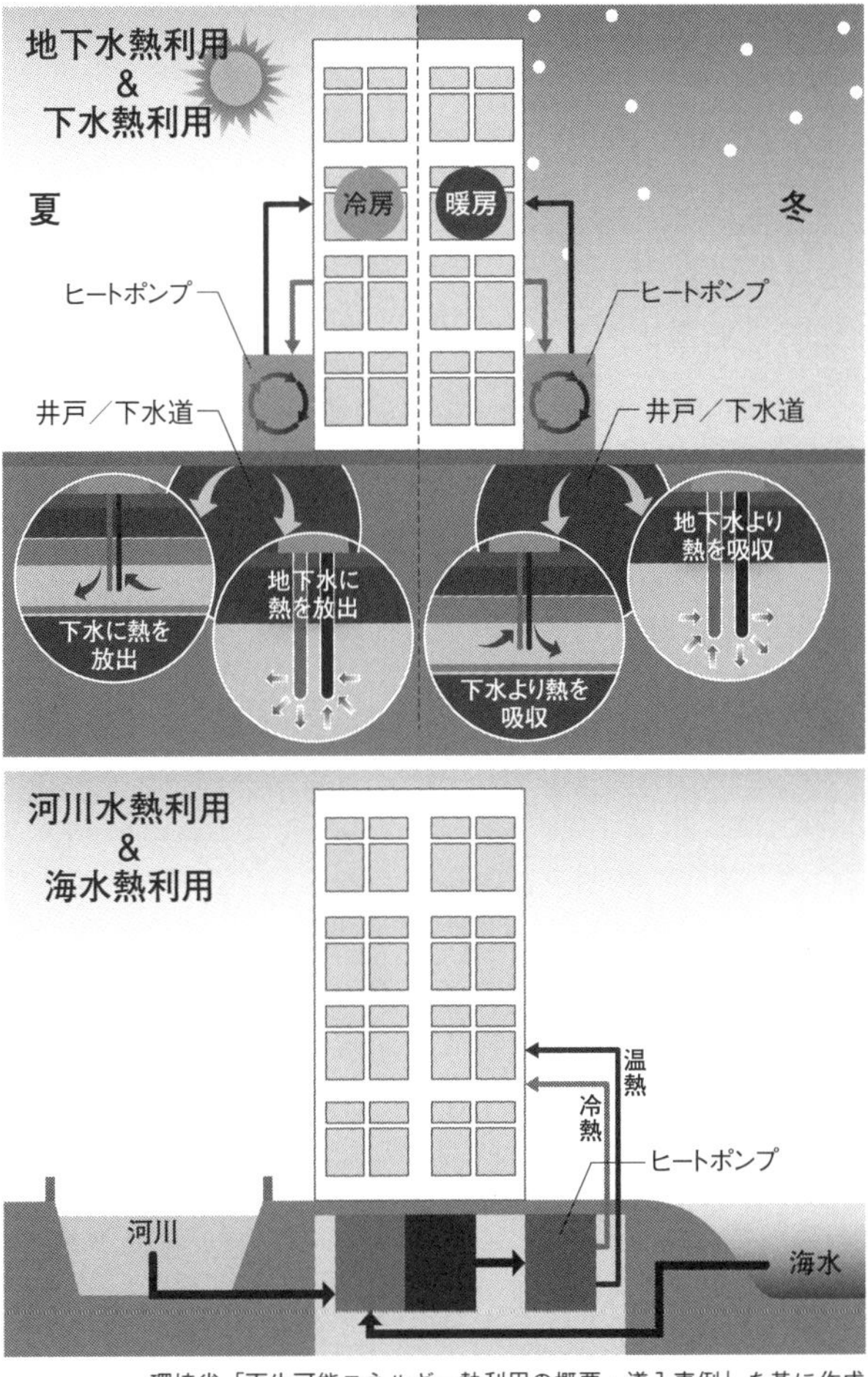

環境省「再生可能エネルギー熱利用の概要・導入事例」を基に作成

を、また冬場は太陽熱温水暖房を採用しました。そして、エネルギーが不足する酷暑や極寒の間はヒートポンプによる熱交換で足りない温度を調整するシステムにしたのです。竣工したその月のうちにエネルギー削減率が8割を超え、さらに気候や電力、室温などの各種データを解析し運転管理すると、3カ月後には削減率が104%と、むしろエネルギーを生み出すくらいまで運用できるようになったのです。地下水や河川水、下水のように、これまであまり熱利用の対象とされてこなかった熱源は「未利用エネルギー」と呼ばれています。

未利用エネルギーは、自然由来のものだけではありません。工場からの排熱や処理水、下水の汚泥焼却に伴う排熱、地下鉄や地下街の冷暖房による排熱（ビル排熱）などさまざまな形態が考えられます。人工透析治療の廃液といった人肌程度の温度でも、地下ケーブルの排熱といったわずかな差でも有効に利用できます。このように、多様な場面でポテンシャルをもつにもかかわらず、利用可能な熱と認識されてこなかったものを有効活用しようというのが、未利用エネルギー利用です。

一次エネルギーとして生成された熱は、大部分が使われないまま排熱されています。温度でいうと、200℃未満の熱と500℃以上の熱の多くが、使われないまま環境中に排出されます。特に燃焼を伴うものはこの傾向があります。これらを有効に使うだけでもCO_2の排出を大きく抑えることができると考えられます。そのうち約4割が産業や運輸の分野の熱です。一次エネルギー源の9割を輸入に頼っている日本としては、いかにして未利用エネルギーを使い回すかが、エネルギーの安全保障上からも、地球環境の保全の観点からも、重要な問題となっているといえるのです。

温度差を活用した熱交換は、いわば熱のリサイクルです。ヒートポンプは加温と冷却を一緒に行うことができるため、リサイクルにはうってつけのシステムです。例えば、自動車部品工場の摩擦熱を冷却したときの熱を集め、部品を洗浄する水の加熱に使うなど、ヒートポンプであれば同時に成立させることができるわけです。

未利用エネルギーは「広く、薄く」生活の周りに存在しています。温度差はもったいないけれど使うところがないなど、需要と供給がずれてしまうケースも多いため、ヒートポンプによる効率的な採放熱・熱供給を行う技術や蓄熱による時間差利用技術など、より効果的な利用方法を整備するとともに、段階的・多様な熱の使い方の工夫など、温度差エネルギーをあますことなく使うためのシステム設計の力も求められているといえます。

温度差エネルギー利用は、ヒートポンプを利用する再生可能エネルギー熱の基本概念ともいえるものであり、熱源はあらゆるものに及ぶといってよく、さらにはまだ利用されていない熱源も対象としています。このため、一括したガイドラインや法令はほとんど存在しません。利用したい熱需要および熱源を調査し、適切な設計をする必要があります。

④ 雪氷熱利用

雪氷熱利用は、積雪・寒冷地では無尽蔵に存在する雪や氷などを利用して、低温・高湿度の環境を安定的、また簡易・安価につくりだすことができる再生可能エネルギー熱利用です。

冬季に雪の冷温や冷気から氷などを製造して夏季まで貯蔵・保存し、その冷熱エネルギーを建物などの冷房や農作物などの保存に活用します。雪や氷のような冷たいものに熱という文字をあてるため、エネルギーとして認識しづらいところですが、新エネ法では、バイオマスなどに並んで位置づけられた再生可能エネルギー熱のひとつです。

［図表８］雪氷熱利用の仕組み

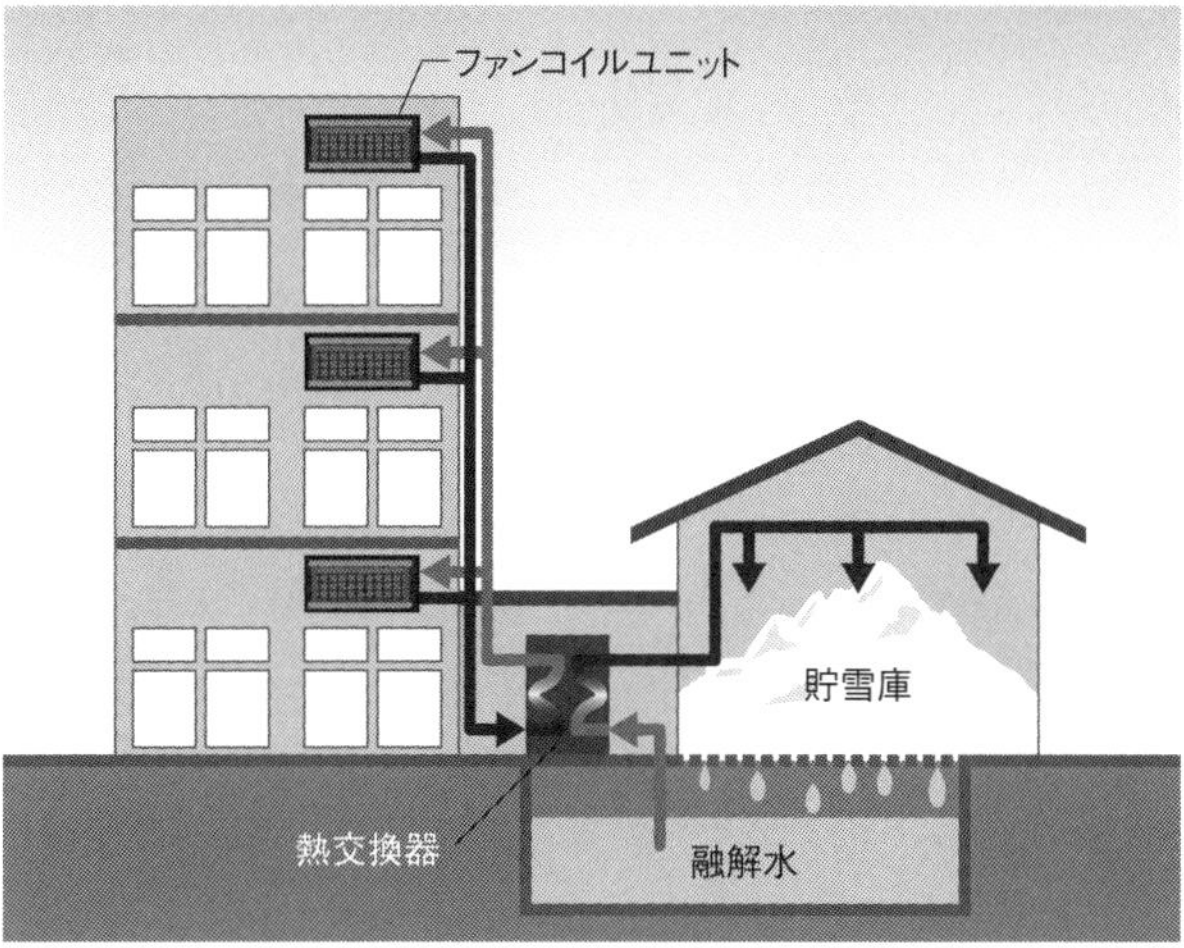

環境省「再生可能エネルギー熱利用の概要・導入事例」を基に作成

雪氷熱の利用としては、断熱材で覆われた貯蔵庫に雪や氷を蓄え、適度な湿度を保った冷気を利用して生鮮食品を貯蔵するものや、雪の融解水を汲み上げ、熱交換器で循環水を冷却して冷房に使うものなどがあります。

　雪氷熱利用の原形も古くからの生活文化にありました。北海道、東北地方の日本海沿岸部を中心とした豪雪地帯では、生活上の障害であった雪氷を夏季まで保存し、雪室《ゆきむろ》や氷室として農産物などの冷蔵用に利用してきたのです。

このように、冬季の降雪や厳寒期の外気により凍結した氷などを断熱性能が高い貯雪庫に貯蔵したうえで冷気を自然対流させて低温を保ったり、ヒートポンプシステムなどを用いて熱交換を行い温度管理したりする方法があります。また、溶けた雪や氷の水を熱源にしてヒートポンプでさらに利用することもできます。主な利用形態としては、雪室や氷室のように物を冷やす雪冷蔵のタイプと、水が凍ったり氷が融けたりする際に発生する「潜熱」を利用して空気を冷やし、チルドの状態を保つ雪冷房のタイプに大別できます。

雪氷熱利用設備は、積算寒度（0℃以下の日平均気温を年間通して合計したもの）が最低でもマイナス200℃あれば設置の適性があるとされており、北海道であれば全域、その他では東北や北陸などで有効な利用法といえます。北海道での導入が全体の約半数と多く、新潟県や山形県が続いています。

近年、地方自治体などが中心となって雪氷熱利用が活発化し、農産物保存用の農業用低温貯蔵施設、病院、介護老人保健施設、公共施設などの冷房用の冷熱源に利用されるなど、雪氷冷熱利用に対する期待は高まってきています。さらにクラウドやＡＩで必要なデータセンターの冷熱エネルギーとしても雪氷熱が利用できます。

⑤バイオマス熱利用

バイオマスとは、生物資源（bio）の量（mass）を表し、植物・動物の細胞組織、動物の排泄物など、生物由来の有機物をエネルギーとして利用するものです。木材など植物由来のバイオマスの熱利用は、もともと自然界で形を変えながら循環している炭素を、循環のバランスを変えずに使うため、バイオマス燃料を燃焼させるときに発生するCO_2の排出は循環サイクルからみるとゼロとみなすことができ、カーボン・ニュートラルなエネルギーとして注目されています。森林整備・林業活性化など地元と共同で取り組むことにより、防災上の森林保全対策や地域の経済・雇用への波及効果も期待できます。

動植物の有機物全般が資源となるため、熱源となるものは多岐にわたります。

●**木質系**：間伐材、低質材、根本などの未利用分、枝打ち・剪定《せんてい》などの廃棄物、製材端材、道路整備時の廃棄物、木造建築物の解体に伴う廃棄物、木質ペレットなど

●**農業・畜産・水産系**：農業残渣《ざんさ》、家畜排泄物、菜種など

［図表9］バイオマス熱利用の仕組み

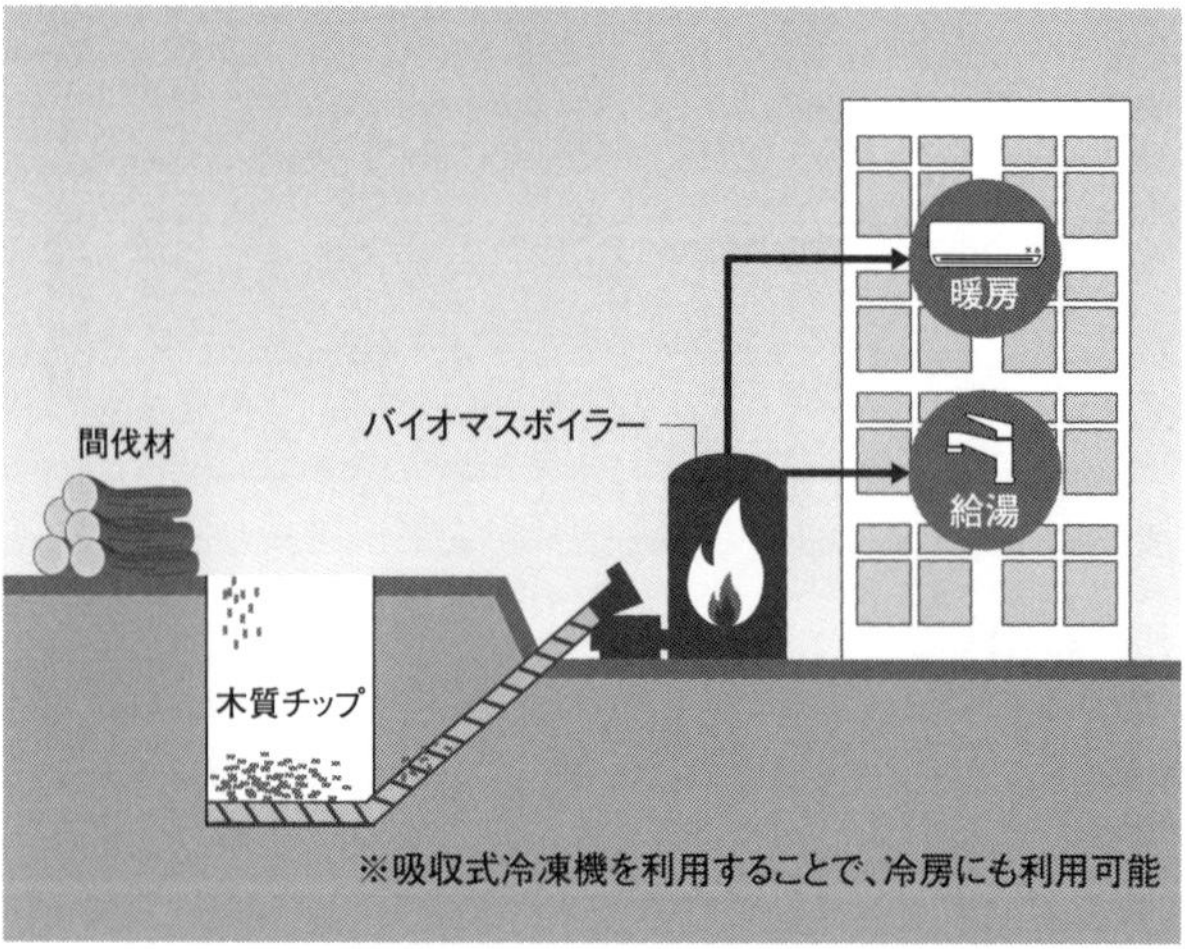

環境省「再生可能エネルギー熱利用の概要・導入事例」を基に作成

- **食品産業系**：食品の製造過程で生じるガラ、食品廃棄物、産業食用油など
- **生活系**：下水汚泥、し尿、厨《ちゅう》芥《かい》ごみなど
- **建築廃材系・製紙工場系**：廃材、黒液、古紙など

　このうち、製材端材や建築物解体材などは、すでに木材乾燥の燃料や紙パルプ、木質ボード原料、家畜飼料、木質ペレットなどへの活用が進んでおり、約95％が再利用されています。一方、森林整備

で発生する未利用間伐材などは搬出や運搬のコストがかかることから森林内に放置され、年間約2000万m^3未利用材が発生していると推計されています。木質バイオマスの活用にあたっては未利用材などを有効活用することで経済価値をもたせ、林業振興と森林整備の推進に寄与することが期待されています。

熱源としてのバイオマスの活用方法は、ボイラーでバイオマスを直接燃焼させたり、バイオマスを発酵させて発生したメタンガスを都市ガスの代わりに燃焼したりすることにより、温水や蒸気をつくり、暖房や給湯を行うものです。また、バイオマス発電設備の廃熱を利用することにより、熱利用と発電が共存した併給型のシステムにすることも可能です。

木質ペレットは、丸太や樹皮、枝葉などの木材廃棄物を細かく砕いて圧縮し、粒状あるいは棒状に成形した燃料を指します。設備が比較的安価で導入しやすく、また貯蔵が楽なこと、燃焼効率が良く安全で汚れや臭いもほぼ付かないことなどがメリットとして挙げられます。一定量の木材の消費を地元から調達できれば地産地消にもつながります。

⑥ 太陽熱利用

太陽熱の利用は、太陽の熱を集熱して温水や温風をつくり、給湯や空調に利用するものです。近年は太陽光といえば発電のイメージが強くなっていますが、太陽光の利用は古くから温かさをそのまま採り入れて使う熱利用でした。太陽は再生可能エネルギー熱のうちで最も古くから認識されているものともいえます。特に1970年代からは、オイルショックを受けて代替エネルギーとしての開発が進みました。国内で最も普及しているのは戸建て住宅用の太陽熱温水器ですが、医療施設や福祉施設、宿泊施設など業務用の建物でも利用されています。単独で用いられるだけでなく、再生可能エネルギーを利用する際のさまざまな機能のひとつに組み入れられ、活躍しています。

太陽熱は、直接太陽光で温めた熱を利用する場合や、いったん蓄熱して利用する場合があります。用途としては、給湯や暖房のほか、除湿や乾燥、冷房にも利用できます。

一般的な太陽熱利用の仕組みは、集熱器、蓄熱槽、追い焚き用ボイラーなどの補助熱源で構成されます。太陽の熱エネルギーを集熱器のパネルに集め、集熱器の内部に循環している

[図表 10] 太陽熱利用の仕組み

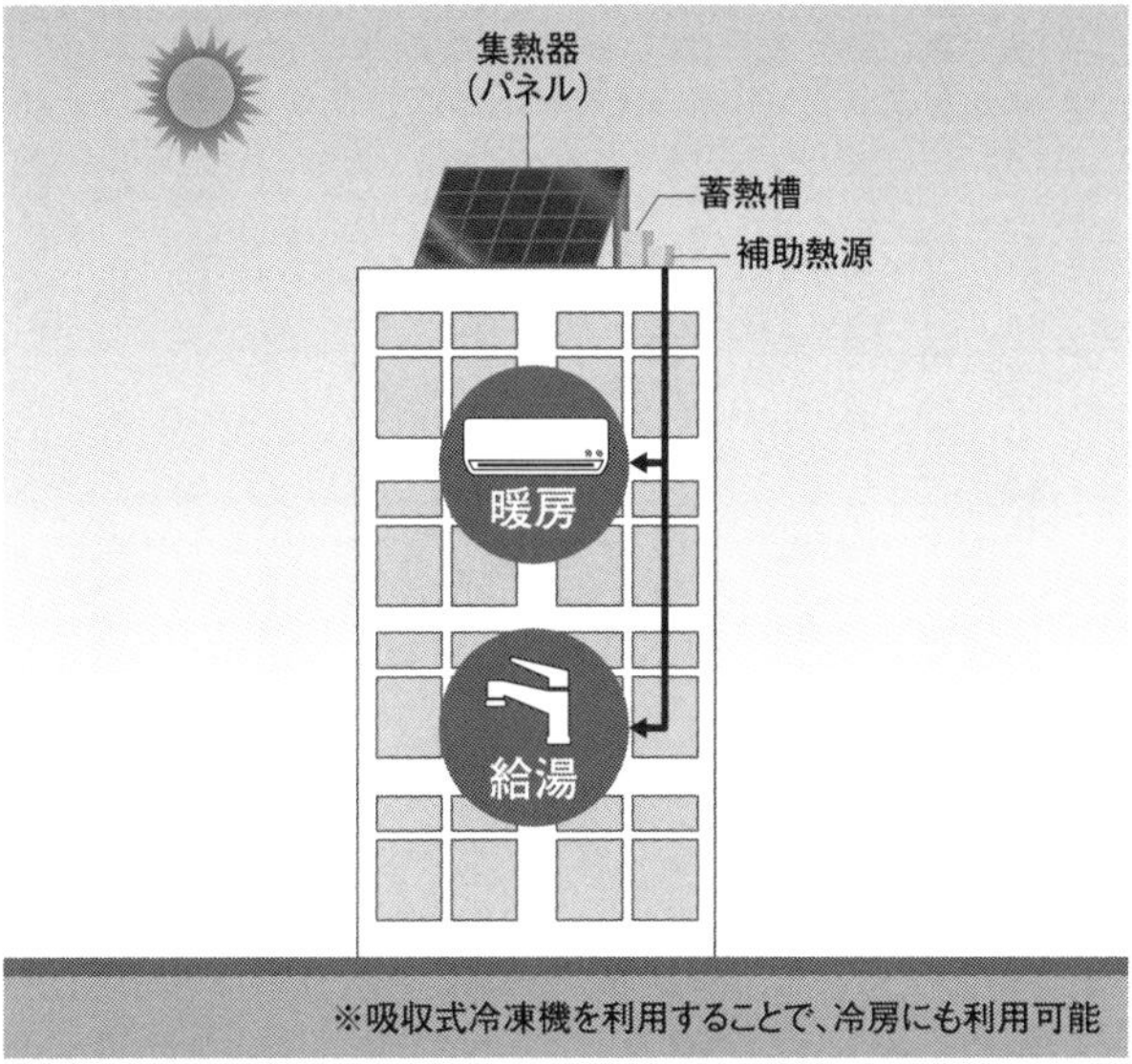

環境省「再生可能エネルギー熱利用の概要・導入事例」を基に作成

水や不凍液を温めます。温まった流体を配管で循環させて熱を利用するのが基本です。

多くの太陽熱システムでは、温めたお湯を蓄えておくため蓄熱槽を設置します。太陽の熱で温めるというシンプルな仕組みのためイニシャルコストは比較的安価です。日照時間が長い地域であれば、浴室や厨房などお湯を大量に使う建物でも省エネルギーの効果が期待できます。太陽光発電とのハイブリッドで発電も熱利用も可能なものもあります。

昼夜、天候、地域差などで集熱が不足し温水の温度が低いときは、ボイラーやヒートポンプなどの補助熱源で加熱します。太陽光は太陽が出ている晴れた日中に採熱が限定されるため、太陽熱が得られない場合でも熱を賄う補助熱源と組み合わせ、安定的な熱供給を行う必要があります。

集熱器は、太陽光を熱エネルギーに変えて熱媒に伝える役割をします。大きくは水式と空気式に大別されます。

●**平板型集熱器（水式）**：太陽集熱器が平板状の金属製の受熱ケースになっており、内部に集熱板が配置されています。表面は透明な強化ガラスで覆われ、下部は熱が逃げないよう断熱材が用いられています。表面がハニカム構造になっており断熱効果を高めているものもあります。

●**真空管型集熱器（水式）**：太陽集熱器が真空のガラス管で、ガラス管内部の集熱部に不凍液などの熱媒を通して利用します。真空にすると対流による放熱が少なく、高温集熱に有利です。

●**空気式集熱器**：ガラス付き集熱面を屋根面材として設置し、屋根の通気層の空気を温め、上部の棟ダクトに暖かい空気を集めます。液体を用いないため、水漏れや凍結の心配がありません。また、デザイン性にも優れており、建築物と一体化させることができます。

このように再生可能エネルギー熱の種類は、地中熱、温泉熱、温度差エネルギーなどさまざまです。熱エネルギーの利用効率を向上させるため、地域や利用状況に適した熱の発生、熱回収、熱交換、熱輸送の技術を選定し、それを最適化することが、環境負荷を低減し、エネルギーコストを削減するうえで重要になってきます。

第3章

発電よりもエネルギーロスを大幅に削減再生可能エネルギー熱利用がもたらす社会的メリット

太陽熱利用システムのメリットと利用上の注意点

再生可能エネルギーの熱利用においては、その特性を理解し、利用環境（空間や水など）への影響と効率を考慮することが重要になります。具体的には、その熱源が生み出す熱量や効率、利用の拡張性のほか、場所、時間帯などの適用条件、熱エネルギーを取り出す際の技術的難易度や、設置・運用にかかるコスト、環境への影響などです。各熱源の説明とポイントをまとめました。

太陽光は、地表に等しく降り注ぎ、しかも光と同時に熱もそのまま受け取ることのできる自然エネルギーです。熱への変換に燃料を使用せず、太陽光に水や空気を当てさえすれば温まるわけですから、複雑な仕組みも必要とせず、再生可能エネルギー熱のなかで最も扱いやすい熱源といえます。屋上フロアや屋根に設置するなど新たな場所がない場合でも取り付けることができます。早くから開発が進んできたこともあり、導入事例が豊富で設置の負荷も低く、コストも比較的安価なうえ国の助成制度など再生可能エネルギー利用への取り組みを証明する項目としても認識されやすいといったことが利点として挙げられます。

一方で、光が届かない場合は熱を得られず、熱量が不安定という弱点があります。夜間や冬季の日照時間が確保できない間は採熱できません。このため、太陽熱は蓄熱したり、熱量不足の場合の補助熱源でバックアップしたりと、熱供給の安定性を確保する必要があります。また、設備を太陽光に直接曝《さら》すため、集熱器など屋外の装置の腐食や塩害、暴風被害などへの対策が必要です。

バイオマス熱利用システムのメリットと利用上の注意点

バイオマス熱は、間伐材や家畜の糞、食品廃棄物など、従来は廃棄するものを熱源として再利用でき、燃焼させるときに生じるCO_2は炭素の循環サイクルからみるとカーボンゼロとみなすことができるため、環境保全との相乗効果が期待できます。ペレット状の燃料は扱いも簡単で採熱の温度の幅も広く、多くの用途に利用することができます。地元で廃棄される有機物をバイオマスにすると地域の持続可能性やリサイクル活動にも貢献できます。

一方で、木質バイオマスの急速な普及でペレットなどの需要が急増し、需要の競合など持続的利用などへの懸念も出ています。有機物を燃焼させて熱を得るため、灰の処理が必要となる点や、化石燃料に比べて瞬発力に欠けるため、急激な出力調整（火力コントロール）が難しい点が課題です。また、集熱時のロスを防ぐためには年間を通じて一定の燃料の品質を保ち、稼働を連続させる運転が望まれます。燃焼による設備の劣化や安全性確保のためのメンテナンスも不可欠です。

雪氷熱利用システムのメリットと利用上の注意点

雪氷熱の利用は、雪や氷がもつ冷温を利用し、新たな熱源のための資源を必要としないため、シンプルな仕組みで運用しやすくランニングコストも低く抑えることができます。また、寒冷地特有の自然環境を効果的に利用できるため、地域特性を活かした再生可能エネルギー熱の利用をアピールできる利点もあります。雪室や氷室など、古来の技術や伝統的な熱利用の文化を伝え、地域固有の再生可能エネルギー熱の利用を啓蒙《けいもう》できる可能性もあります。

一方で、雪氷の採取は冬季のみに制限され、蓄積した雪氷を夏季まで保管する場所や、長期間の断熱技術が必要になります。基本的に、積算寒度（０℃以下の日平均気温を年間通して合計したもの）が最低でもマイナス２００℃になる地域に限定されるため、今後の温暖化現象の状況によっては設置が困難になる地域が増える可能性も捨てきれません。雪氷熱は、ほかの再生可能エネルギー熱の利用と組み合わせて利用することが望まれます。

地熱（温泉熱）利用システムのメリットと利用上の注意点

地熱（温泉熱）は、天候や日照時間、季節の影響を受けず、年中安定した熱利用ができます。もともとある地下深くの熱や、自然に湧く温泉を利用するため、補助熱源が不要もしくは少なくてすみ、$ＣＯ_2$削減の効果も期待できます。熱交換利用・温泉を浴用利用・温泉排湯を温度差エネルギーとしてヒートポンプ利用、さらにその排湯を融雪熱源とするといったように組み合わせることにより、高温から低温まで段階的かつ効率的な熱利用が実現します。

一方で、温泉が存在する特定の地域に限定され、掘削する場合は事前の調査が必要で、全般的に設備導入のコストは高くなります。また、新規掘削により近隣の温泉へ影響が及ぶことも考えられるため、詳細な調査が不可欠です。泉質によっては設備にスケール（ミネラル成分の結晶）が付くことがあり、維持管理に負担がかかる可能性もあります。地域で温泉を利用していると湯量や源泉の温度が変動する場合もあり、補助熱源が必要となります。場合によっては温泉資源の枯渇を防ぐ持続性への配慮も必要です。

地中熱利用システムのメリットと利用上の注意点

地中熱は、年間を通じて温度が一定のため、ベースロード熱源（季節、天候、昼夜を問わず一定量の熱を安定的に低コストで供給できる熱源）として再生可能エネルギー熱の利用システムを構築することができます。地中熱の温度帯は一般的に地表の外気温の年平均値とほぼ同じであることから、外気温の高い夏季は冷却、外気温の低い冬季は加温と、年間を通じて温冷どちらにも対応させることができます。地中に熱交換器を埋設しヒートポンプで熱を汲み上げて循環させるシステムを構築することにより、冷暖房、給湯、道路・駐車場の融雪、プールなどの加温、農作物や園芸ハウスの温度調整、食品の冷水洗浄など、さまざまな用途への利用を可能にします。

地中熱は、地中の熱を利用できる土地が有限であるため、容量が不足する場合は地中熱のみではなく、ほかの再生可能エネルギー熱を補助熱源として活用しながら総合的にカーボン・ニュートラルの運用を目指す形が理想的な地中熱の利用スタイルといえます。

全体に共通していえる熱利用のポイントは、温度差にあるといえます。つまり、熱いものから温熱を取り出して冷たいものに与えて温める、もしくは、冷たいものから冷熱を取り出し、温かいものに与えて冷やす、このやりとりを熱交換といいます。この熱交換を再生可能エネルギー熱で行うことができれば、CO_2削減に大きく貢献します。

熱が余ったら足りないところに移動させる温度差利用（熱交換）は効率的だということは容易に理解できるはずです。しかし熱の流れを考えると、高温から低温への移動は自然に行われるためエネルギーを使うことはありませんが、逆の向き、つまり低温から高温にする場合はなんらかの技術を使って熱の移動を助けなければなりません。

この低温から高温への移動を助けるのが、ヒートポンプです。

ヒートポンプの歴史からみた再生可能エネルギー熱の歩み

　ヒートポンプを利用した空調システムの歴史は古く、19世紀後半には形づくられていました。１８２４年に熱力学の第一法則、１８４２年に第二法則が発見され、１８５２年にヒートポンプの原理が発見されて、20世紀に移る頃には実用化まで進んでいました。実は、冷房の技術には軍事技術が大きく関わっています。１９０７年にフランスの軍艦が爆沈した事件を端とし火薬庫の冷却の必要に迫られたのです。翌１９０８年にはアメリカの軍艦に冷却装置が設置され、さらに１９０９年には日本の軍艦にも設置されました。

　１９１２年にはスイスで地盤の熱を利用したとされています。資源に乏しいスイスにとって、当時主流だった石炭の代替となる暖房用熱源としてヒートポンプによる熱交換を採用し、その熱源に非石油系の資源として地下水など広く賦存する地盤に着目したことは、大いに先進的な試みだったといえます。

　そして、第二次世界大戦前後の１９４０～１９５０年代にヒートポンプの技術はアメリカで開花します。電力エネルギー委員会などがヒートポンプの実証実験を大規模に行い、冷凍空調産業が大きく進展しました。

一方、日本国内では、アメリカより少し遅れて１９５０年代後半からヒートポンプの熱源として地中熱を利用する実証実験が行われるようになりました。その頃はまだ熱交換器の性能も低く、空気を熱源とするヒートポンプがまだ一般的ではなかったことも関係しています。しかし、その後は戦後の復興と高度経済成長の波もあって、冷凍空調産業が着実に発展していきました。１９６０年代後半に室内機と室外機を分離したセパレート型の空気熱源ヒートポンプ式暖房機能を備えたエアコンが登場します。都市部での地下水利用の規制もあって空気熱源のヒートポンプが主流となり、ヒートポンプの熱源として地中熱への注目は遠のいていきました。

そして、二度のオイルショックを経た１９８０年代後半から、省エネルギー・代替エネルギーの開発・利用促進などに重点をおいた熱利用が世界的に展開するようになります。欧米各国では、太陽熱利用のための地盤蓄熱に関する大規模な実証試験が行われるようになっていきました。冷房だけでなく、暖房や給湯利用の昇温のためにヒートポンプが必要不可欠な技術の一つとして認識され、それと同時に、ＩＥＡの省エネルギープログラムの一つであるヒートポンプ実施協定にある、地中熱を利用したヒートポンプシステムに関するAnnex（国際共同研究）の活動が進んで、国を超えた情報交換や共同研究が活発化しました。ＩＥＡ内にはエネルギー需要側の応用技術や省エネルギー技術を調査する専門委員会が設置されており、地中熱ヒートポンプシステムや地下蓄熱も研究テーマの一つに挙げられています。

欧米ではその後も地道な研究開発が続けられ、その結果、掘削や地中熱交換器の設置コストの削減、ヒートポンプのコンパクト化や性能向上など、ハード面における実際的な技術革新が進みました。また、ヒートポンプの普及とともに、認定制度、設計・施工ガイドライン、汎用設計ツール、協会設置と施工者教育などのソフト面の整備も進み、欧米では設置数が飛躍的に伸びていったのです。特にスウェーデンは、人口が１０００万人ほどにもかかわらず、１９９０年代後半以降設置台数は徐々に上向き、２０００年代は地中熱ヒートポンプだけでも年間３万～４万件以上に採用されていました。２０１０年以降は市場が飽和してきたこともあってやや減少しているものの、それでも年間２万件以上の採用がなされています。

ＩＥＡによると、２０２０年時点で、世界のヒートポンプを搭載する暖房設備の台数は1億７７００万台を超えており、５年後の２０２５年には１・６倍の約2億８０００万台、２０３０年には6億台に達すると予測しています。

このような諸外国の取り組みを踏まえ、日本でも再び地中熱を熱源としたヒートポンプの研究開発が活発に行われるようになり、近年は設置台数が増加してきました。この背景には、地球環境問題やヒートアイランド防止への貢献といった利用者側の意識の変化に加え、メーカー側でも、地中熱に対応する国内製造のヒートポンプが販売されるようになったことや、地中熱交換器設置費用が低減されつつあるなどの技術的な要素もあります。また、エネルギー価格や物価の上昇、ウクライナや中東情勢に伴うエネルギーリスクの高まりなど、近年の石油系原料の高騰により、地中熱に経済的な魅力が出てきたことも要因となっているといえます。

もっとも、地中熱ヒートポンプの技術の進展に比べ、導入件数はそれほど大きく伸びていません。導入件数が少ないため地中熱交換器などの設置コストが諸外国に比べて高くなっているのが一因と考えられ、今後の普及により改善されることが期待されます。

ヒートポンプは「熱ポンプ」ともいわれます。水のポンプと同じで、高いところから低いところへ流れようとする自然な状態に対し、人為的に力を加えて、低いところにある熱を高いところへ送る装置です。例えば、エアコンもヒートポンプの一種ですが、冷房するときは涼しい屋内の熱を暑い屋外に送っています。

単純化すると、ヒートポンプが行っている動作は圧縮と膨張です。圧縮したときに熱が上がり、膨張したときに熱が下がるという特性と、熱は常に高いところから低いところを流れるという特性を活用して、圧縮後と膨張後にそれぞれ熱を移します。

もう少し詳細に仕組みを説明すると、ヒートポンプは、圧縮機と膨張弁と二つの熱交換器がループ状に配管でつながる構造をしています。配管の中には冷媒が封入されています。

圧縮機を稼働させると、冷媒が圧縮されて高温高圧のガスになり、熱交換器で冷媒は凝縮（液化）されます。すると、熱交換器の外側にある媒体へ熱が移動し、外側の媒体が加熱されます。ヒートポンプ内の冷媒は、熱が熱交換器を介して移動したため相変化で液状になり、配管内を移動します。膨張弁まで来ると、冷媒は減圧されて温度が下がり、もう一つの熱交換器の外側にある媒体を冷やします。厳密にいうと外側の媒体がもっている温かい熱が熱交換器を介して冷たい冷媒に熱が移動しています。つまり、外側にある媒体が冷媒によって冷やされる熱交換が起きているわけです。このとき冷媒は熱をもらうので相変化で液体が蒸発してガスになります。配管を通じて冷媒は再び圧縮機で圧縮されて高温高圧のガスになり、熱交換器で外側の媒体を加熱します。

　この動きを繰り返すことにより、連続的に片方の熱交換器で外側の媒体を冷却してもう一方の熱交換器で外側の媒体を加熱する、加温と冷却が同時に起きるシステムとなり、つまり冷たいところから暖かいところに熱を移動させていることになります。

　ヒートポンプが行っているのは、単純にいうと圧縮機の作動だけですが、それに伴って配管の中を流されていく流体が温まったり冷えたりして熱交換器に触れる外部の温度を変えていきます。熱そのものが自分の力で移動しているのではなく、冷媒の圧縮・膨張の動作で冷媒が熱くなったり冷たくなったりしているのですが、この冷媒の温熱や冷熱が熱交換器の媒体を通して外側に出ることにより、熱を入れ替えているわけです。

　このように、ヒートポンプは圧縮と膨張と熱交換により、温熱も冷熱も同時に取り出して利用できるところに大きな特徴があります。ヒートポンプの原理が発見されたのは古く、技術開発の歴史は一世紀以上の積み重ねがあります。このため、実用上の点からいうと機械的な熱交換の効率化といった技術面についてはすでに限界に近いという意見も聞くほど、目覚ましい進展をしてきました。

とはいえ、ヒートポンプは単体で力を発揮するものではなく、ほかの熱源との需給バランスをCO_2削減やコスト削減などに最適化させる制御など、設計および運営上の技術についてはさらなる進化の余地が大いに残されています。特に現在急激に進展しているＡＩやＩＣＴ技術と融合させるなどの技術開発は、今後も期待されるところです。

さらに踏み込めば、ヒートポンプの「おまけ」側である熱源の開拓は、むしろこれからの状態だといえます。温度差エネルギーの利用は、少しでも差があれば利用できる可能性があります。加熱利用の場合は、ヒートポンプの蒸発器側の熱源（ヒートソース）の温度が高く、また、冷却の場合は、ヒートポンプの凝縮器側の利用（ヒートシンク）の温度が低ければ利用範囲の拡大が期待できるわけで、その組み合わせは無限に存在します。

例えばヒートソースでいうと、冬場の外気温よりは高温だけど暖房や給湯として使うには低すぎる地中熱、河川水、海水など、身近にあるさまざまな自然界の環境があり、賦存熱量も莫大なエネルギー熱が未利用エネルギーとして眠っています。温泉や温泉排湯も利用できれば良いヒートソースとなります。

自然由来のものだけではありません。人が集まる場所の熱気や車の排気熱、工場や病院施設における業務中に発生する熱や浄化槽や下水の熱など、生活や生産活動に伴って排出されるものもヒートソースになり得ます。

そのまま排出すれば温室効果を増長するはずの熱気が、ヒートポンプで熱交換することによりほかの活動の熱源になるのです。熱を回し続けて経済活動に転用すれば、都市のヒートアイランド化の抑制にもつながります。

あわせて、ヒートシンク側にも改善の可能性が眠っています。地中熱、河川水、海水は加熱利用だけでなく、ヒートシンクとしての冷却利用もできます。さらに、自然の湧水や食品工場から排出される冷排水、氷蓄熱や雪氷熱で氷が融けて生成された冷水などもヒートシンクとして利用できます。

また、利用方法についても多くの可能性が広がっています。ヒートポンプは、熱交換という形で冷熱と温熱を同時につくりだす構造のため、両者の同時使用ができれば効率は倍増します。私が携わった施工事例でも、冷房と給湯の同時運転は数多く実績があるほか、機械部品工場のクーラントの冷却と洗浄液の加熱の同時運転、給湯と食品洗浄の冷水を同時に生成するといった形で、熱をあますところなく使い回す仕組みを数多く設計しています。

ヒートポンプを要所に設置して熱交換を行い、空気や水の環境を利用しやすい温度に整えて、調整しきれない分を別の熱源で補っていく。これだけでもエネルギーの消費は大きく減ります。ヒートポンプを稼働させるときに必要となる動力は圧縮機程度ですから、少ない電力で多くの熱を移動させることができるのです。

さらに、再生可能エネルギー熱を利用したヒートポンプや空気熱源ヒートポンプの動力源を再生可能エネルギー電気で賄い、補助熱源として太陽熱や木質ペレットのような再生可能エネルギー熱で賄えば、カーボン・ニュートラルの熱循環が出来上がります。

そしてこのヒートポンプの仕組みを単体の施設ではなく、地域単位で各施設をつないで行うと、地域熱供給になります。地域やコミュニティといったまとまりでのカーボン・ニュートラルが実現するのです。

ヒートポンプの二つのタイプと導入にあたっての注目ポイント

再生可能エネルギー熱を取り入れたシステムを具体的にどのような形で導入すると効果的なのかについて、地中熱ヒートポンプの二つのタイプを例にみていきます。

地中熱ヒートポンプシステムには大きく分けて、地中の熱を間接的に利用するクローズドループ型、地下水の熱を直接的に利用するオープンループ型があります。

クローズドループ型は、深度１００ｍ程度までの地中に地中熱交換器を埋め、地中から熱を取り出すために地中熱交換器内に流体を循環させ、吸収した熱をヒートポンプで必要な温度領域の熱に変換するシステムです。熱交換器内を循環させる流体には、通常は不凍液または水を用います。冷媒を用いる方式も開発されています。

クローズドループ型は、単純にいうと土に熱交換器を埋めれば採熱できるわけですから、挿し込み方によって地中熱交換器は、垂直型、水平型、傾斜型などバリエーションが豊富です。このうち垂直型には、掘削孔を利用するボアホール方式と、杭（基礎杭・採熱専用杭）を利用する杭方式とがあります。

クローズドループ型による地中熱ヒートポンプシステムは、地中熱交換器部分のメンテナンスがほとんど必要ないとともに適用範囲が広く、住宅・建築物・プール・融雪などさまざまな利用に適用されています。ただし、地中熱の量は有限であるため、地中の熱を取りすぎて凍結などを起こすなどのトラブルがないよう、熱源側・利用側の調査を十分に行って設計する必要があります。

オープンループ型は、井戸から揚水した地下水を直接または間接的にヒートポンプで熱交換させるものです。地下水利用に関する規制がない場合に適用できます。ヒートポンプで熱交換したあとの地下水の扱い方については、同じ帯水層に戻す方法のほか、別の帯水層に注入する方法、地下に戻さず地表で放流する方法などがあります。クローズドループ型と比べて井戸1本あたりの採熱量が大きくなるため、比較的規模の大きな施設に適用されます。省エネルギーや省コストの観点からいえばオープンループ型が推奨されるところですが、一方で、汲み上げすぎると水位低下や地盤沈下などの環境問題が懸念されます。また、地下水を利用する際に目詰まり防止などのメンテナンスも必要です。

なお、地下水の揚水による地盤沈下については解決策があります。汲み上げた地下水の全量を同じ帯水層に戻す方法（帯水層蓄熱）を用いることにより地盤沈下の心配なく大量の地中熱が利用できるのです。この手法については、環境省の技術開発事業ですでに実証されています。また、目詰まり防止については汲み上げた地下水に酸素を触れさせないような工夫をする方法があります。

地下水利用に問題がない場合は熱容量が大きくなるオープンループ型のほうが熱利用の可能性は広がるものの、地下水の揚水規制などもあって利用できる地域が限られていることから、これまでに手掛けた事例でみても、実際のところはクローズドループ型のほうが取り扱う件数は多くなっています。

このようにヒートポンプの設置方法には違いがあるものの、熱を利用する仕組みとしては同じですから、二つの方式に共通していえるヒートポンプシステム導入のポイントとなる点をみていきます。

簡単に仕組みをおさらいすると、ヒートポンプは、配管内の冷媒を圧縮・膨張の動作で循環させることにより高温と低温の状態をつくりだし、高温から低温への熱交換と低温から高温への熱交換を繰り返し行って、外部の媒体の加熱および冷却を行います。ヒートポンプを循環させる間は常に一定の熱交換が可能です。しかし、熱の需要がなかったり、熱容量が小さかったりする場合は交換した直後の温度はすぐに変わってしまいます。

このため、熱利用を安定させるには、熱の需要に対する供給のバランスが大事となります。熱の需要は冷暖房などの負荷であり、これに対してヒートポンプが熱を供給しますが、これはインバーターや台数制御などの容量制御で対応します。一方、ヒートシンクやヒートソースとなる熱源への熱需要は負荷側の需要で変動します。

適切な設計をした地中熱は熱容量が大きく負荷の変動に対して安定しています。また、熱容量が大きいため季節間の蓄熱効果も利用することができます。

もう一つ、省エネルギーの観点からいうと、新規設置から設備の更新・廃棄といったライフサイクルについても考慮しておく必要があります。

ヒートポンプの法定耐用年数は15年程度とされています。メンテナンスが良ければ実質的には20年くらいは（工夫次第では30年も）使える場合があります。配管の技術でいうと、地中熱交換器についてはすでに50～１００年の耐久性をもつパイプも開発されています。とはいえ何十年も経てば、例えば建物の断熱などの技術も大幅に進展し、画期的な研究も実証され、社会情勢も変化して熱の需要も変わってきているはずです。また、建物や工場の利用形態も変化する可能性もあります。

総合的に考えてタイミングを逃さず技術の更新を行えるよう、設置当初から長期的な施設維持を考えた設計を行い、稼働中も専門的な観点から最適な運転になっているかを常に監視できる体制をつくっておくことが大切です。

ヒートポンプは再生可能エネルギー熱を組み合わせる要となる

再生可能エネルギー熱利用ヒートポンプの特徴は、次のようにまとめることができます。

- 地面さえあれば設置でき、場所を選ばない
- 温熱と冷熱の利用ができる
- 地中熱のほか、少しでも温度差があれば熱利用が可能。地下水、河川水、海水、下水以外にも、工場や病院施設など、生活や生産活動の排水熱も利用できる
- 地中の安定した熱を利用すれば天候に左右されることがない
- 省エネと再エネを効果的に組み合わせて、カーボン・ニュートラルを達成できる

●大規模なシステムの構築が可能。地域単位の熱利用もでき、地域のカーボン・ニュートラル達成やヒートアイランド現象の抑制にも貢献できる

そのほかにも、再生可能エネルギー熱利用ヒートポンプは構造の特徴から、コスト面やデザイン面での可能性も多くもっています。

●熱交換器が外気に曝されないため機器の劣化が軽減でき、耐久性が高い
●室外機を屋内に設置することが可能で、景観を損ねない
●室外機にはファンがなく運転音が静かなので、施設内での設置場所を選ばない
●屋上緑化や太陽光パネル設置など、ほかの再生可能エネルギー利用との併設が可能
●安定した自動制御は管理者の負担を減らし、人手不足にも対応できる

熱機関として本来的にヒートポンプがもっている熱効率の高さに加え、熱源（ヒートソース・ヒートシンク）の組み合わせの工夫、ヒートポンプと蓄熱槽の組み合わせや各機

器の効率・容量・運用方法の工夫により、省エネルギー性、つまり環境負荷の軽減や運用のコスト削減につながり、利用者の満足度を高める可能性が大きく広がります。しかも、温度差は建物内外のそこかしこに存在し、未利用の熱エネルギーがあふれています。多くの部分で設計者の創意工夫が発揮できるというわけです。

実際のところ、ヒートポンプを組み合わせた再生可能エネルギー熱の利用システムは、極端にいえば「設計が9割」なのです。熱需要と熱供給の最適なバランスをみながら15年、30年といった長い年月を省エネルギーで過ごせるよう、さまざまな技術を組み合わせていきます。カーボン・ニュートラルを目指した再生可能エネルギー熱の導入となると、建物全体にシステムを取り入れて総合的に省エネルギーを目指すことになり、大掛かりな工事を必要とする場合も多いため、熱需要の動向も熱供給の仕組みも専門的に理解し、施工のバリエーションが多いところへ設計の相談をすることをお勧めします。

効果的に再生可能エネルギー熱を組み合わせてZEB／ZEHを実現する

エネルギーの利用を、住宅やオフィスビルなどの居住空間におけるエネルギーマネジメントとしてとらえたものに、ＺＥＢ《ゼブ》（ネット・ゼロ・エネルギー・ビル）や、ＺＥＨ《ゼッチ》（ネット・ゼロ・エネルギー住宅）と呼ばれる指標があります。

ＺＥＢは、資源エネルギー庁によると「先進的な建築設計によるエネルギー負荷の抑制やパッシブ技術の採用による自然エネルギーの積極的な活用、高効率な設備システムの導入等により、室内環境の質を維持しつつ大幅な省エネルギー化を実現した上で、再生可能エネルギーを導入することにより、エネルギー自立度を極力高め、年間の一次エネルギー消費量の収支をゼロとすることを目指した建築物」と定義されています。ＺＥＨも同様の工夫で、エネルギー収支をゼロにする家を指します。

パッシブ技術というのは、断熱、日射遮蔽《しゃへい》、自然換気、昼光利用といった、建物の内外の環境を適切にし、エネルギー需要そのものを減らすことで建物の環境負荷を軽減させる技術を指します。建築計画的な技術を駆使し、まず周辺や室内の省エネ環境を整えたうえで、再生可能エネルギーを効率良く導入して、エネルギー消費量を正味（ネット）でゼロにもっていこうというわけです。

建築物については、建築物省エネ法を改正し、住宅及び小規模建築物の省エネルギー基準への適合を２０２５年度までに義務化することと、２０３０年度以降新築される住宅・建築物についてＺＥＢ・ＺＥＨ基準の水準の省エネルギー性能の確保を目指し、補助金や助成制度などのさまざまな施策が展開しています。

　現在、ＺＥＢの実現・普及に向けて四つの段階のＺＥＢが定義されています。省エネにより、基準一次エネルギー消費量から50％以上の削減を達成した建築物を、「ＺＥＢ　Ｒｅａｄｙ」、省エネと再生可能エネルギーの組み合わせにより、基準一次エネルギー消費量を75％以上削減した建築物を「Ｎｅａｒｌｙ　ＺＥＢ」、省エネと再生可能エネルギーの組み合わせで正味１００％以上の削減を達成した建築物を「ＺＥＢ」として定義しています。また1万㎡以上の大規模建築物を対象として、設備の制御技術などの省エネルギーに大きく寄与する技術の活用が見込まれるものの、現時点ではＺＥＢの評価が難しい技術を活用した建築物に対する「ＺＥＢ　Ｏｒｉｅｎｔｅｄ」という定義もあります。

　評価の要件としては、断熱・ガラス、空調、換気システム、照明、給湯、昇降機、太陽光発電などの項目があり、それぞれに基準が設けられています。

　ＺＥＨにも同様の基準があり、正味で75％の一次エネルギーの削減を達成したものを

「Ｎｅａｒｌｙ　ＺＥＨ」、正味で１００％を達成したものを「ＺＥＨ」としています。

　ＺＥＢやＺＥＨを達成するには、断熱や昼光利用、自然換気といったパッシブ技術で建物の環境負荷を軽減して必要となるエネルギーを減らしたうえで、空調や給湯で地中熱ヒートポンプや太陽集熱器などの再生可能エネルギー熱の効果的な利用や、高効率の照明や換気システムなどの効率の高い機器によるアクティブ技術を導入して「省エネ」を徹底させ、さらに太陽光発電などでエネルギーを生み出す「創エネ」を行うという技術の組み合わせにより、エネルギーの収支を正味でゼロ（ネット・ゼロ）以下にもっていきます。

　また、利用する側の意識も重要な要素となります。例えば、建物の消費エネルギーをリアルタイムでモニタリングし、効率的な運用と改善を行っていくなどのエネルギーマネジメントが必要です。

　建築物のエネルギー性能が指標となったＺＥＢ／ＺＥＨは、再生可能エネルギーの取り組みが建築物の性能評価を通して「見える化」されたという点で、意義深いことといえます。ＺＥＢの段階を示すだけでその建築物の性能が明確になるわけです。オーナー側ではＺＥＢを情報開示することで自らの取り組みをアピールできますし、利用者側ではＺＥＢ

の情報を基に入居先を決めることができます。

ＺＥＢのほかにも建築物の評価・認証・表示を行う制度は世界各国に存在します。大別すると、ＢＥＬＳやＥＮＥＲＧＹ ＳＴＡＲのようにエネルギー性能に特化して評価を行うものと、ＣＡＳＢＥＥやＬＥＥＤのようにエネルギー性能に限らず総合的な環境性能を評価するものがあります。また、建築物を取り扱う不動産会社やファンドなどの取り組みを評価するＧＲＥＳＢという制度もあります。

現在は、こうした評価基準による認証は、まだ先進的な取り組みのように扱われていますが、カーボン・ニュートラルの促進が加速するといずれは基準を満たすことが義務化されて課税対象となったり、社会的な常識として基準を満たしていないと取引を拒否される状況になったりする可能性があります。今、すでに気づいている人たちは取り組みを始めています。

●以下は日本でよく用いられている指標です。

【BELS（Building-Housing Energy-efficiency Labeling System）】

ＢＥＬＳ《ベルス》（建築物省エネルギー性能表示制度）は、２０１４年から開始された建築物の省エネルギー性能の表示制度です。国土交通省の省エネ性能表示のガイドラインでも位置づけられています。ＺＥＢと同じＢＥＩ（基準一次エネルギー消費量に対する設計一次エネルギー消費量の割合）という指標が用いられ、実績値ではなく設計時点での性能を評価します。ＢＥＬＳでは、ＢＥＩの値により、星の数で５段階評価が行われ、性能が良いほど星の数が増えます。さらに太陽光発電を設置しＺＥＢの基準を満たしている場合、ＢＥＬＳの５つ星表示に加えて「ＺＥＢ」「Ｎｅａｒｌｙ　ＺＥＢ」「ＺＥＢ　Ｒｅａｄｙ」を表示することもできます。

【eマーク】

ｅマーク（省エネ基準適合認定マーク）は、既存建築物が省エネ基準に適合していることを示す表示制度です。ｅマークもＢＥＬＳと同様に、国土交通省の定める省エネ性能表示のガイドラインに位置づけられています。

ＢＥＬＳは新築・既存建築物の両方を評価対象とするのに対し、ｅマークは既存建築物のみに限定されます。また、ｅマークにはランク分けもありません。より高い水準を目指すならＢＥＬＳのほうが適切です。

【ＣＡＳＢＥＥ（Comprehensive Assessment System for Built Environment Efficiency）】

ＣＡＳＢＥＥ《キャスビー》（建築環境総合性能評価システム）は、建築物の環境性能を評価するシステムです。２００１年に国土交通省主導のもとで開発されました。建築物から都市全体まで、評価対象が幅広いことが特徴です。

海外にも同様の制度があり、エネルギー性能だけでなく資源循環や室内環境なども含めた総合的な環境性能を評価するのですが、海外の制度が環境負荷低減に主眼を置き、部分的に環境品質向上を扱っているのに対し、ＣＡＳＢＥＥは環境負荷Ｌ（Load）と環境品質Ｑ（Quality）の二つを評価軸として明確に分けて扱います。

環境負荷あたりの環境品質をＢＥＥ（環境性能効率）という値で表し、Ｃランク（劣っている）から、B^{-}、B^{+}、Ａ、Ｓ（たいへん優れている）までの5段階で評価します。

再生可能エネルギー熱の効率的な活用は、カーボン・ニュートラルの実現に欠かせない要素といえます。地中熱や太陽熱など、自然由来の安定した熱源を利用し、ヒートポンプ技術を組み合わせることで、エネルギーの需要と供給のバランスを最適化し、省エネルギーと再生可能エネルギー活用の両方を達成することが可能となります。特に、ヒートポンプは温熱と冷熱を効果的に管理し、エネルギー消費量を大幅に削減することができるため、環境負荷の低減に大きく寄与します。このような技術の進展とともに、持続可能な社会への移行がこれからも加速していくと私は考えています。

［第4章］

大幅な省エネ・省コストを実現 熱利用システムを活用した具体例

事例1【社屋ビル】 北海道初「ＺＥＢ」達成オフィス

暖房需要が大きくエネルギー消費量の多い北海道で年間の一次エネルギー消費量を正味ゼロにし、「ＺＥＢ」（創エネを含まず56%、創エネを含め１０６％）を達成した、道内初の事例を紹介します。鉄骨造の地上４階建て、延べ床面積約６４４㎡の事務所ビルです。

株式会社アリガプランニングの事務所が所在する札幌市は、寒さが厳しく暖房使用期間も長いため、エネルギー消費が多くなります。この土地で「ＺＥＢ」を達成するためには施設設備の徹底した高い熱効率での空調が必要です。一方で、断熱効果を高めようと壁の面積を増やすと採光が不十分で、開放感も損なわれます。熱効率とオフィスとしての快適性の両立という大きな課題に挑戦し、道内初の「ＺＥＢ」を達成しました。

空調の負荷を抑えるために最も重要なのは断熱です。特に窓ガラスは、熱を伝えやすいため、寒冷地では複層ガラスになっている建物も多く見かけます。しかし寒さの厳しい北海道ではこれでは不十分です。そこで、この建物ではＬｏｗ-Ｅ真空ガラスを採用しました。

Ｌｏｗ-Ｅガラスは、ガラスの表面に特殊な金属膜のコーティングが施されており、外

[図表 11]「ZEB」達成オフィスの構造

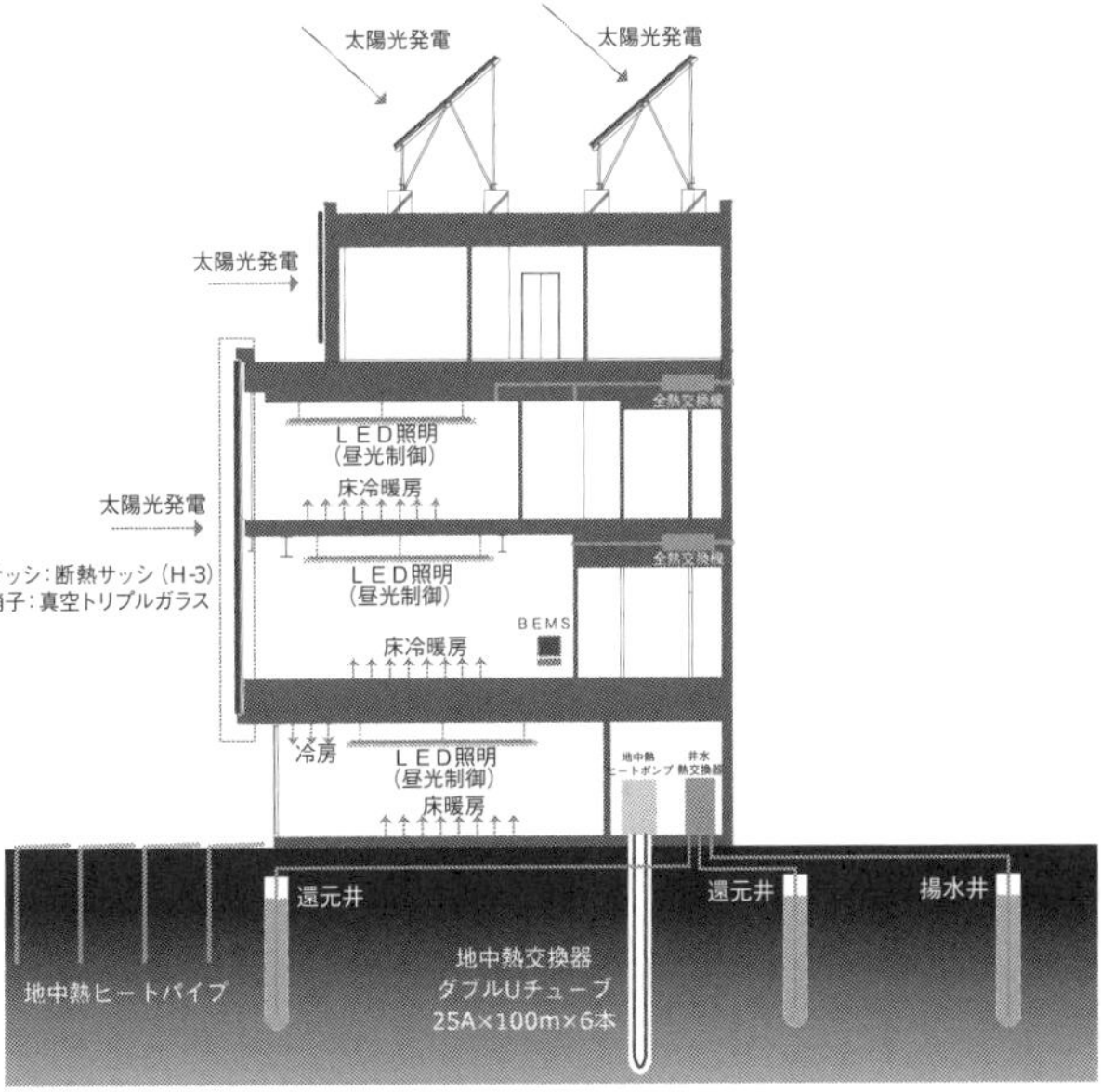

オフィスの外観

気の熱や室内の熱を吸収・反射して冷暖房の効率を高めます。複層ガラスが熱の伝導と対流を抑えるのに対し、Ｌｏｗ‐Ｅ複層ガラスは赤外線を吸収・反射するため、伝導・対流に加えて熱の放射にも有効なのです。実は、複層ガラスを介した熱移動のうちの約６割が放射によるものといわれ、大幅な省エネ効果をみることができます。さらにこの建物では、ガラスを三重にし、中の層を真空にしたものを採用しました。これにより、徹底した断熱と開放的なオフィスの空間を両立させることができました。

そのほかにも、外壁に１２５㎜、屋根には１５０㎜のウレタンフォーム断熱材を採用して外皮性能を向上させるとともに、室内の温度を測りながら吸気・排気を調節する全熱交換器で空調の負荷を徹底的に減らしました。換気の風を直接感じない床吹き出し空調で快適さも実現しています。また、全室に最新のＬＥＤ照明器具を導入し、人感センサー・明るさセンサーで快適な照度を自動管理できるようにし、建物全体での省エネ性を高めました。自然な明るさが確保できるよう、室内の奥まで自然光が取り入れられるグラデーションブラインドを採用し、快適性も確保しています。

徹底した省エネの建物にしたうえで、地中熱と井水熱を熱源としたヒートポンプシステムを構築し、初夏は地中熱（井水熱も含む）を利用したフリークーリング、冬は地中熱を利用した熱交換と、季節的な変動や熱源温度の変化をモニタリングしながら熱源システムを切り替えるＢＥＭＳできめ細かく管理をすることにより、省エネ効率をさらに上げる運転を可能にしています。

また、駐車場や歩道の融雪に、再生可能エネルギー１００％、ランニングコストゼロ、メンテナンスフリーの地中熱利用ヒートパイプを導入しています。

そして、建物内で使用する電力を太陽光発電で賄い、蓄電池で電力の受給を調整するなど、徹底した省エネ＋再エネ構造により、エネルギー消費を抑え、「ＺＥＢ」を達成しながら快適なオフィス空間を実現させることができました。

開設後、運用状況をみながら運用改善を行った結果、導入5年目は一次エネルギー削減率が創エネを含まず約70％、創エネを含め１０９％の削減率となり、設計値を上回る実績値を継続的に維持し「ＺＥＢ」であることが証明されました。

このオフィスには、地中熱システムを見て感じられるショールームもあります。機械室を有効活用し、採熱管展示スペースや透明床による熱源ヘッダーで実物を見えるようにしたり、モニターで地中熱・太陽光のエネルギー利用状況が把握できるようにしたりと、意識向上にも役立てています。

事例2【社屋ビル】 井戸水・太陽熱＋ヒートポンプで「ＺＥＢ」達成

浜松市で「ＺＥＢ」（省エネ73％と創エネ30％の合計１０３％削減）を達成した常盤工業株式会社のオフィスビルです。

所在地の静岡県浜松市は、ものづくりで知られていますが、農業生産も全国トップクラス、水産業・林業も盛んです。それを支えるのが、温暖な気候と全国的に高い日照率、豊富な地下水といった自然の恵みです。これらを活かして浜松市で持続可能なオフィスを目指す姿勢をアピールしていきたいというオーナーの意向を踏まえ、自然エネルギーを最大限に活用したビルを目指した設計が行われました。

空調は、冬季には日照率を利用した太陽熱をそのまま活用する真空管ガラス式太陽熱集熱器を採用し、夏季には井水熱を直接利用してそのまま冷房するフリークーリングができる冷房モードを設けて運用し、熱源が不足する場合はヒートポンプを用いて調整します。

冷温水による室内での空調には輻射熱パネルを採用し、風が直接当たらないやわらかなエアコントロールで快適な空間を実現され、また、外断熱躯体蓄熱により、室内の温度変化を軽減。オフィス空間だけでなく、地域に開放している共用空間も快適な空調を保たれているとのことです。

設計時では、一次エネルギー削減率を75%の目標としＮｅａｒｌｙ　ＺＥＢとされていましたが、竣工後は、気候データと電力データの分析、運転管理により、快適な空調環境を維持し続けながらも一次エネルギー消費の削減率は、竣工当月で83%削減（創エネなし）、3カ月後で１０４％（創エネ含む）と、設計時の想定を大幅に上回る削減率を達成されています。

こちらの建物は、創立70周年を迎えるのをきっかけに、事務所の老朽化や社員の増加を踏まえ、本社建て替えを計画したところからスタートしています。構想を始めたのは２０１６年です。総合建設業を営む自社ビルとして、自社設計・自社施工でのＺＥＢ化を目指されています。

新本社のコンセプトに「地球のために／社員のために／地域のために」を掲げ、大幅なエネルギー削減目標を達成しながらも快適で働きやすいオフィスを実現し、さらには地域に開かれた事務所となって、省エネ・再エネが地域へ波及し、カーボン・ニュートラルを浜松から広げるための一臂《いっぴ》となる建物を目指されています。

省エネ機能をアピールする実験棟としての役割も兼ねて建設されたこともあって多様な省エネ・創エネ技術が導入されており、さらには、すべての技術と運用の実績を地域に公開されています。このため、見学者が連日訪れ、再生可能エネルギー熱の利用を実感して帰られているとのことです。

社員の方もＺＥＢプランナーとしてCO_2削減技術を伝えるなど、地域に還元する取り組みのフラッグシップとして活躍しています。

事例3【福祉施設】全館冷暖房を実現　災害時にも自立

新潟県刈羽村の公共施設で、全館冷暖房に床暖房も加えて24時間稼働で環境を整え、さらに災害時の要支援者避難場所としても貢献する自立支援福祉施設の事例です。

新潟県という日本海側で雪の多い土地柄、日照時間が少なく太陽光のエネルギーでは施設全体を賄うことが難しいところでは特に、年間を通じて温度が安定している地中熱の利用が力を発揮します。

刈羽村の願いは、平常時は高齢者や障がい者を支援するための空間として快適な環境をつくりたい、また災害時には地域の要支援者を受け入れる福祉避難場所として活用したいというものでした。これらの思いに応え、さらにはエネルギーの運用コストも環境負荷も抑える施設として、24時間稼働の全館冷暖房を実現する設計を行いました。

こうして出来上がった「自立支援福祉施設あかり」は、在宅介護の支援として「通い」「訪問」「泊まり」を組み合わせた小規模多機能型居宅介護事業所に、介護予防事業を行う施設を併設し、地域包括ケアシステムの中核施設として機能する地域に密着した自立支援福祉施設となっています。なお、施設名の「あかり」は、地名を取り入れ親しみやすく地域を明るく照らしてほしいというところから名付けられたとのことです。この施設は、刈羽村で初めて地中熱を導入した公共施設で、導入にあたっては、経済産業省エネルギー構造高度化・転換理解促進事業の補助金も利用しています。

小規模多機能型居宅介護事業所エリアは、要介護・要支援認定者を対象に、日常生活に必要な支援を行えるよう、宿泊居室、多目的居室、食堂兼デイルーム、浴室などからなります。介護予防事業拠点エリアは、効果的な介護予防を目的に要支援認定者と事業対象者の利用を前提としつつ一般の高齢者や村民も気軽に訪れることのできるエリアで、筋力トレーニングの機器も備えた介護予防スペースや食事スペースなどがあります。

施設全体の空調を地中熱ヒートポンプで賄い、高齢者の健康を考えて24時間稼働の全館冷暖房を採用しました。施設内の温度を均一に保つことで、心疾患の原因となる温度差によるヒートショックを未然に防ぎます。また、デイルームと食事スペース、一部廊下など利用者の多い共用スペースに床暖房を採用し、冬季の室内の乾燥を低減させて感染症の予防対策も行っています。空調はファンコイル方式で行い、24時間稼働させる全館冷暖房を原則としています。バックアップの熱源は設けず、地中からの採熱量を考慮し、空気熱を利用するシステムも導入しています。

一般に、24時間稼働の全館冷暖房は、電気代などのエネルギーコストが高く維持に負担がかかるものですが、刈羽村地域エネルギービジョンに基づいて地中熱ヒートポンプを導入し、空調から給湯を含めた全熱源を再生可能エネルギー熱で賄うことにより、同規模の施設と比べてCO_2の排出量を目標値で21%削減できました。省エネ化でランニングコストの低減にもつなげました。地中熱の利用状況を来訪者に「見える化」し、省エネの意識向上にも役立てています。

CO_2と維持費を削減し、高齢者・障がい者を見守る24時間稼働の福祉施設としても、地域の住民が気軽に利用する施設としても機能し、さらには災害時の要支援者避難場所としても活躍する地域密着の施設を、地中熱ヒートポンプシステムが支えています。

事例4【食品加工場】　地中熱、地下水熱、設備排熱など多様な再エネを活用

北海道の新千歳空港にほど近い恵庭市で、地中熱をはじめ地下水熱や設備排熱などの再生可能エネルギー熱を最大限に利用した食品加工の工場の例です。北海道という寒冷地で膨大にかかる熱利用の熱源を再生可能エネルギーに代替して、灯油の使用量をゼロにし、既存の自社工場比で床面積あたりのCO_2排出量を41%削減しました。経済産業省所管で新エネルギー財団の表彰制度において第14回新エネ大賞「資源エネルギー庁長官賞」を受賞するなど数々の表彰を受けています。

[図表 12] 地中熱・地下水熱・設備排熱の再生可能エネルギー利用

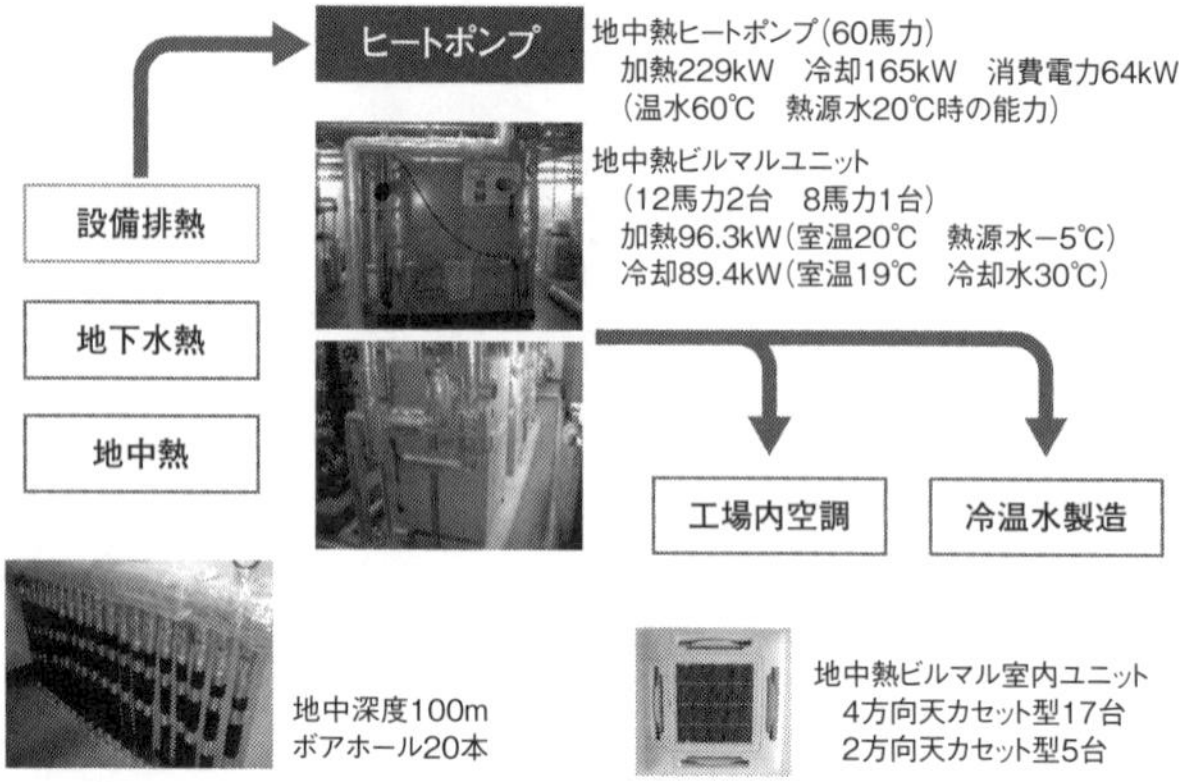

再生可能エネルギー熱を最大限に利用した食品加工場

ハンバーグレストラン「びっくりドンキー」チェーン本部の株式会社アレフ※が運営する当該「北海道工場」は、道内に展開する各店舗への食材供給を一手に引き受けています。道内のほかの施設でも5カ所、地中熱ヒートポンプを導入していますが、この食品加工場では、地中熱ヒートポンプによる冷温水の共有にとどまらず、地中熱利用ビル用マルチシステムによる場内空調、地下水利用による冷却と加熱、冷蔵設備の排熱も利用するなど、再生可能エネルギーとして活用できるものを可能な限り集めて運用しています。（※株式会社アレフはオウム真理教および同教団の「アレフ」と呼称する団体とは一切関係がありません。）

　地中熱ヒートポンプの利用では温水の給湯が一般的ですが、同時につくられる冷水にも利用価値があります。この工場ではカット野菜を製造する際の洗浄に有効活用しています。その他、食品冷蔵庫の保冷と霜取り熱の同時利用も行っています。

　また、地中熱利用ビル用マルチシステムによる空調は事務所や工場の冬季暖房および夏季の冷房などに活用しています。熱源としては地中熱・地下水熱・冷蔵設備の排熱などが組み合わせられて設計されています。

地中熱・地下水熱・工場の設備排熱をヒートポンプで温冷両方から徹底的に利用した再生可能エネルギーシステムは導入から15年経た現在も稼働し続けています。

このシステムにより、この工場では、灯油使用量がゼロになりました。床面積あたりのCO_2排出量も、自社既存工場との比較で41％削減、エネルギー消費量で42％削減を実現しました（※いずれも開業時のデータ）。

また、当工場では、エネルギーマネジメントに特化した「ＩＳＯ５０００１」を２０１６年に外食産業で初めて取得するなど、毎年、CO_2削減に向けた取り組みを続けています。

事例5【屋内型しいたけ類農業施設】微細な温度調節の24時間自動化に成功

富山県高岡市で、豊富な地下水を有効利用して、しいたけの育成に不可欠となる微妙な温度差の安定供給につなげた例です。これまで勘を頼りに手動で行っていた温度調節を地中熱ヒートポンプと井水熱源式ビル用マルチシステムによる自動運転にできたことにより、働き手の負荷を軽減し、省エネだけでなく人件費の削減にも成功しました。

株式会社森の環「あしつきの森」で行われるしいたけ栽培では、一日のなかで夜間の低温帯（20時～4時：10℃）と昼間の中温帯（7時～15時：22℃）をつくり、その温度ショックにより発芽や生長を促します。この温度差がある環境を、それまでは油炊き吸収式冷温水発生機やボイラー・冷凍機などを使ってつくってきたのですが、従業員による経験と勘を頼って手作業で行ってきたため、一年を通して温度帯を安定させることに苦慮していました。また、夜間も含めた24時間の温度管理は操作要員の負担も大きかったのです。

今回のシステムは、地中熱により中温帯を、エアコンにより低温帯を確保する設計としました。配管漏れも含む故障時でも温度を維持することができるよう、冷温水による集中的な熱源空調設備とはせず、直膨式のビル用マルチ（冷暖フリー）方式にしています。さらに、各部屋が個別に稼働することも考え、ヒートポンプ一次側の密閉回路も、ヘッダーからの分岐で個別に室外機へと配管し、きめ細かな温度設定を可能としました。こうして低温帯だけでなく中温帯用にも対応可能としたエアコンと地中熱設備の両方を設置したことにより、地下水がポンプ故障などによりトラブルに見舞われてもバックアップとして機能します。

地中熱ヒートポンプと井水熱源式ビル用マルチシステムの組み合わせにより、大規模なしいたけ栽培ハウスでも気密性の高い室内環境を維持しつつ温度帯を制御し、可能な限り機械化・自動化して、人力や勘、経験に頼らない管理の導入につながりました。

また、３６５日を通して安定的に出荷できる農作物工場として、省エネの設備を確立し運用を続けることにより、自然エネルギーを前面に出した安心・安全なしいたけをという商品コンセプトによる企業のイメージアップや消費者の支持も得る道筋もみえてきています。

この事業では、地域の特性を活かしたエネルギーの地産地消促進事業費補助金（再生可能エネルギー熱事業者支援事業）の制度を活用することにより、地方の一工場でも再生可能エネルギー熱の利用に手が届くものとなりました。この補助金は、一般社団法人低炭素投資促進機構による補助金制度で、地域の特性に応じた効率的なエネルギー利用を図る分散型エネルギーシステムを開発するための助成を行い、普及促進を図るものです。この制度については終了していますが、同様の助成金制度は、この機構に限らずさまざまな名称で展開しています。これらの助成金制度をうまく活用して効果的に再生可能エネルギー熱の普及を目指すのも、私たちの知識と経験・ノウハウの一つと考えています。

事例6【医療施設】　病院機能を止めることなく透析熱回収システムを導入

青森県八戸市にある医療施設での設備排熱利用事例です。医療法人平成会八戸平和病院では、それまでもさまざまな省エネ対策に取り組んでいましたが、２０１５年に経済産業省の補助事業を活用し、さらなる省エネ対策として当該システムの導入を実施しました。透析治療には約2万トンものＲＯ原水（逆浸透膜で水分子以外のほとんどすべての不純物を除去したもの）を使用します。さらにそれを内蔵された電気ヒーターで適温まで昇温しなければならず、電力消費量がかさんでいたのが課題でした。

当該システム導入により、透析装置全体の年間使用電力を約14・2万キロワットから3・1万キロワットまで78％低減でき、電気料金は年間約２４０万円の削減になりました。

人工透析治療で使用するたくさんの水は、ＲＯ装置により純水を製造し、透析液として治療に使われ、従来は中和槽で中和され排水されます。治療に使われる水は、体温にまで加温されていますので、この治療後の排水熱は貴重な熱源となるのです。

透析熱回収ヒートポンプシステムは、透析排液やＲＯ濃縮水を熱源とし、水冷式ヒートポンプとインバータ技術を駆使してＲＯ原水を加温することにより、従来設備（電気ヒーター等）の稼働率を下げ、大きな節電効果とCO_2削減を実現しています。

当該システムの導入により、これまで未利用だった透析排液の熱が有効活用され、電気ヒーターによる加温は不足分のみとなり、大幅な電気使用量の低減を実現したのです。透析排液の熱を回収・再利用するヒートポンプシステムは世界的にも例がなく、通常運転時の省エネルギーはもちろんのこと、災害時など突発的なエネルギー不足時にも少ない電力で稼働できることから、ＢＣＰ対策にも寄与することが期待できます。透析医学会でも大いに注目を集めました。

この透析熱回収ヒートポンプシステムにはもう一つ特徴があります。設置の簡易さです。システムが病院施設全体をカバーする空調設備や給湯設備とは異なり、人工透析装置に限定しているため、シンプルで省スペース（自家用車一台分程度の広さ）に収まります。また、分割搬入や施設の状況にもよりますが室内にも設置可能です。したがって、工事にかかる時間や手間も大幅に短縮できます。

人命に直結する透析治療を停止することは回避しなければなりません。透析治療を中断させることなく工事を完了できるのは当該施設の特性上、不可欠なポイントといえます。

透析熱回収ヒートポンプシステムは、熱エネルギーを再利用することによって大きな節電効果を得ることができる経済性とCO_2排出量削減による環境性の両立を可能とし、医療における「ＳＤＧｓの実践」にも寄与します。

事例7【温泉施設例その1】 北海道の厳冬期でも対応、重油使用量を9割削減

熱利用のなかでもイメージしやすい温泉熱利用についてみていきます。１つ目は、北海道の厳しい冬でも豊かに注がれるかけ流し温泉の排湯を活用した例です。

幽泉閣は、北海道蘭越町が運営する交流促進センター内にあり、町内外の湯を楽しむ利用者から親しまれています。１９５８年に営業を開始し、現在の場所には１９９８年に移転してきました。その後も設備のメンテナンスを行いつつ運営してきましたが、施設の老朽化が進み、エネルギー消費量の大半を占める暖房・シャワー用の重油ボイラーがついに更新時期を迎えていました。

そこで蘭越町では、２０１９年に経済産業省の補助金を活用して、エネルギー使用に関す

かけ流し温泉の排湯を活用し重油使用量を削減

る調査を実施したところ、町民の省エネやCO_2削減に対する意識が高かったことを受け、単純に重油ボイラーを新しいものと入れ替えるのではなく、温泉排湯熱を利用したヒートポンプシステムを導入し、重油の使用量やランニングコストの削減などを図ることにしたのです。

町は設計、工事を進め、新たなシステムの運用を２０２１年に開始しました。重油ボイラー２台の体制から、排湯熱利用のヒートポンプとボイラー１台によるハイブリッド方式になり、施設の前のロードヒーティング利用に限定されていた排湯熱は、各客室・共用部の暖房や大浴場のシャワーなど、その利用範囲が拡大されました。シャワーなどで使用された排湯は浄化槽に集められたあと放流されるのですが、この放流時の温度が約30℃と十分に温かいため、現在はこの熱をロードヒーティングや融雪に活用。熱源を加えずに熱交換だけ行うフリーヒーティングで対応できています。

熱源はかけ流し温泉の排湯です。温泉として利用したあとも湯温は35~40℃と、熱量が十分あるため、シャワー用に温める熱源も通常はヒートポンプの熱交換のみで対応できます。シャワーの使用量が増える混雑時や、さらに昇温させたいときにボイラーを補助的に使用するシステムにしました。衛生上75℃に保っている貯湯槽の温泉水は、シャワーの使用量が増えて加水されると温度が下がります。このため、60℃台後半になるとボイラーで加温するよう自動制御を行っています。温度管理が簡便になり、ボイラー管理に張り付いていた人手を館内のほかの業務に向けることもでき、ボイラーの人手不足も解消しました。そのほか、排湯の熱は床暖房や暖房パネルにも活用しています。

当初は温泉成分による機器の腐食なども心配されていたそうですが、まったく問題はなく、メンテナンスもしやすいと好評です。

このように、ヒートポンプとボイラーのハイブリッド方式にして再生可能エネルギー熱を有効利用しているのですが、機械やシステムには故障がつきもの。なんらかのトラブルが生じて稼働が停止したときに使えるように、古い2基のボイラーに替えて新しいバックアップ用ボイラーを1基新設しています。すべてを新しいボイラーに替えると設備投資にかかるコストも莫大になるため、ほかの設備との組み合わせによるシステム設計も重要なポイントといえます。とはいえ、実際にはボイラーはほとんど稼働しないですんでいます。重油の年間使用量は更新前と比較すると95％減となりました。重油の使用量が極端に減ったことから、機器入れ替えから1年後には新ボイラーの燃料を灯油に切り替えています。

事例8【温泉施設例その2】 源泉の有効活用により省CO_2を実現

温泉の活用ではもう一つ、島根県江津市の事例を紹介します。江津市の有福温泉は、１３５０年以上前に天竺より入朝した法道仙人が山奥で見つけたといわれており、古くから名湯として知られています。外湯の一つである「御前湯」において、シャワー用のお湯を沸かしていた化石燃料を使用するボイラーの代わりに温泉の熱を利用するヒートポンプを導入しました。余剰源泉を熱源利用したシステムです。余剰源泉の温度は46℃程度であり、シャワー用の温水を沸かす熱源になるほか、源泉温度も46℃程度と高いため、補給水の予熱にも活用できヒートポンプでの消費電力量を削減しています。

また、ヒートポンプによる給湯の場合には貯湯槽の設置がほぼ必須ですが、レジオネラ菌への対策として、貯湯槽内の温度を60℃以上に保たなければなりません。レジオネラ菌対策に関しては、高温出湯可能なヒートポンプにより実現しています。

ヒートポンプは水冷式で、熱源となる熱源水槽の中に投げ込み式の熱交換器が入っています。プレート式熱交換器のほうが熱効率は見込めるものの、温泉の成分によっては目詰まりを起こしやすく、結果的に投げ込み式のほうがメンテナンスしやすいためです。

また、もともと温度が高い温泉は、ほかの排熱と比べて加熱用途でのヒートポンプの高効率運転に適しており、まず利用を考えたい熱源の一つといえます。御前湯ではヒートポンプ導入により、更新前の灯油ボイラーに対して、CO_2排出量を49％削減することができました（導入5年目までの平均値）。

温泉活用は湯の量と温度と成分で決まりますが、熱源として重要なのは量です。また、温度にも依存しますが、最低でも毎分30～50Ｌの湯量があれば十分利用価値があるのです。利用目的や利用者規模にもよるものの、毎分200L出る源泉であればほとんどの需要を賄えます。

事例9【離島施設】海水淡水化で自立給水と給湯を実現　災害時の開放も

水不足が深刻になってきている沖縄県八重山郡の竹富島で、海水の淡水化技術とともにヒートポンプの加温・冷却機能が有効活用されたリゾート施設の例です。

星のや竹富島では、システム導入前は石垣島から引かれた水道水や電気を利用していました。重要なインフラ資源をほかの島に頼る脆弱《ぜいじゃく》性、石垣島での宿泊施設の増加、八重山諸島への観光客の増大によって、水資源に慢性的な不安を抱えている状況を踏まえ、本システムでは太陽光発電とバッテリー利用によって海水を淡水化した水を生成し、さらに海水淡水化で生じた熱を熱源にヒートポンプを稼働させ、宿泊施設への給湯を行っています。本ヒートポンプはユニット化（「ゼネラルヒートポンプ工業株式会社」と「株式会社エナジア®」が共同で特許取得済み）しており、施設内に設置しています。

平時は再生可能エネルギーの自家消費とヒートポンプユニットによる省エネ効果、および竹富町からの購入水道水使用量の節約によって温室効果ガス排出を抑制しながら、宿泊

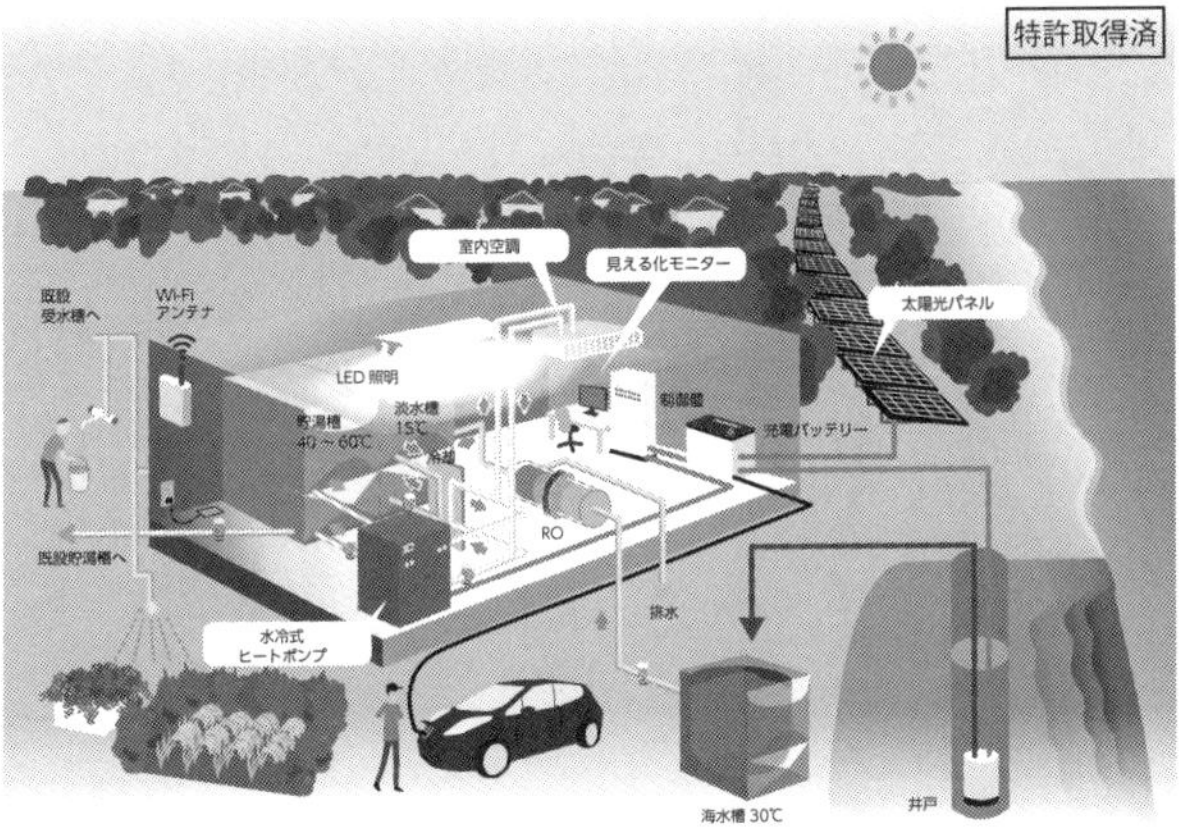

海水淡水化ヒートポンプシステム

施設に必要十分な量の給湯と、飲料水や調理などに用いられる冷水を確保しています。災害時には避難施設として、宿泊客だけでなく島民の避難施設となり、系統電力が途絶えても、太陽光発電と蓄電池のみで導入システムを一定時間稼働させることが可能であり、約0・6m^3／日の給湯、1・4m^3／日の冷水の供給、および情報機器等への電力供給が可能となっています。

井戸から汲み出した海水は24～28℃あります。これを濾過《ろか》（逆浸透膜）して淡水にする工程で冷水になっていくのですが、その排熱をヒートポンプの熱交換で集めて給湯に利用するわけです。ヒートポンプですから、冷水も同時につくられるため、飲料水や食材を洗浄するなどの水として利用できます。ヒートポンプを稼働させる電源は太陽光バッテリーで賄い、再生可能エネルギーのフル活用でインフラ確保を実現しています。

そのほかの副次的効果もあります。淡水化による飲料水確保ができる前は、施設内の飲料水にはペットボトルを使用していましたが、海水淡水化熱源給湯ヒートポンプユニットの導入により、ペットボトルの廃止につながりました。目に見える形で、地元の皆様をはじめ、職員の皆様や施設利用者様に対し、再生可能エネルギー熱の可能性や環境問題への対策に関する理解を促す機会とすることができたといえます。

事例10【廃棄物処理施設】生物排水処理施設からの放流水の熱を同じ生物排水処理施設で再利用

山形県村山市にある株式会社アシストが運営する廃棄物最終処分場では、ヒートポンプを使って排水処理後の放流水の温熱を生物排水処理に利用する熱のリサイクルを行っています。

最終処分場は山間部にあり、山の谷部を活用した埋立地に廃棄物を埋め立てています。埋立地に雨が降ると廃棄物の間を雨水が通っていきます。その水が土壌に染み込んで土壌や地下水を汚染することがないように、廃棄物と土壌の間に防水シートを敷いています。そのシートの上を雨水がつたい、浸出水として下流にある調整槽へと流れてきます。

生物排水処理施設には1日あたりで２４０㎥に上る浸出水が送られ、そこでは微生物（バクテリア）を使って汚濁物質を分解して浄化処理をしています。分解処理が活性化する温度が25℃程度と浸出水より高いため、以前は、10～20℃ほどの浸出水を、灯油ボイラーを使って加熱し、分解処理後の水は温かいままで放流していました。ボイラーは燃料コストもかかりますし、CO_2の排出量も多いです。また、せっかく温めた水をそのまま放流し捨てるのも、もったいない話です。

再エネ関係の研修会の参加者からそのような悩みをうかがい、なんとかならないかと相談を受けました。そこで、放流時の熱をヒートポンプで回収し分解処理を活性化させる加温に用いる仕組みの開発にとりかかったのです。

新たに設置した熱源水槽に流れ込む処理後の放流水は20℃以上あります。この熱をヒートポンプで回収し、新たに設置したＨＰ原水槽を温めます。50℃の温水をＨＰ原水槽内のコイル（投げ込み式熱交換器）の中を循環させます。処理原水を調整槽からＨＰ原水槽に送り、35～40℃に温めます。分解処理を行う槽で温度センサーにより監視しながら、加温された処理原水を生物処理工程に戻します。このことで、生物処理槽ではいつも微生物の活動に適した25℃になるように保つことができるわけです。

　こうして生物処理などにより浄化された放流水の水温は20℃以上になります。水温が上がった放流水の熱がまたヒートポンプに送られてきて再利用されるという熱のリサイクルで、処理水の加熱にかかるエネルギーと二酸化炭素の排出を削減します。

　ＨＰ原水槽や熱源水槽に使っている投げ込み式熱交換器を組み込んだタンクもオリジナルで開発しています。また、ヒートポンプと制御システムにより、ボイラーで加熱していたときよりもきめ細かな温度コントロールが可能になり、排水熱を利用したヒートポンプシステムの採用によりCO_2排出量削減率47％を実現しました。

第5章

再生可能エネルギー熱の利用が増えれば社会の持続的な発展に大きく貢献する

日本が再生可能エネルギー熱をリードするポテンシャルは十分

再生可能エネルギー熱の利用はまだまだ広く知られてはいませんが、日本の取り組みが間違った方向にあるわけではありません。再生可能エネルギー熱に関する日本の技術は、実は世界と比べても高い水準にあるのです。

例えば、高効率ヒートポンプ技術は、ＣＯＰ（エネルギー消費効率。数値が大きいほど省エネ性能に優れている）でみると、日本平均の５・35に対して北米や欧州は３・０と、日本の省エネ技術は世界トップレベルなのです（気候変動に関する政府間パネル第４次評価報告書第3作業部会報告書）。

また、ヒートポンプの場合、加熱と冷却を同時利用できますが、例えば冷却のみでＣＯＰが４、加熱のみでＣＯＰが5とすると、同時利用できるとＣＯＰが9となります。電気ヒーターのＣＯＰが1であることと比べると、いかに少ない消費電力で大幅な熱エネルギー転換ができるかが分かります。日本のヒートポンプ技術が広く普及していけば、世界のエネルギー課題に大きく貢献するのは間違いありません。

また、２００１年に世界で初めて家庭用CO_2冷媒ヒートポンプ給湯機（愛称「エコキュート」）の開発に成功したのも実は日本です。エコキュートの場合は、大気の熱と水とで熱交換してお湯をつくるのですが、冷媒にフロンでなく環境への負荷が少なくてすむ自然冷媒のCO_2が使われています。このように、日本のヒートポンプ技術は世界をリードしているのです。

そのほかにも、地中熱ヒートポンプ導入で必要な熱応答試験（ＴＲＴ：サーマルレスポンステスト）という試験があります。再生可能エネルギー熱である地中熱を利用するにあたっては、単位深さ当たりの採熱量計算が重要であり、システムの導入前にＴＲＴを実施し、熱伝導率（見かけ有効熱伝導率）を求める必要があるのですが、この試験法の新しい方法の開発や規格化も進んでいます。私が理事として関わるＮＰＯ法人地中熱利用促進協会では、ＴＲＴ装置の認定制度を設けています。

日本の産業技術を振り返ってみれば、オイルショック以降の省エネ技術など、効率性を追究し、よりコンパクトで高性能を目指す開発が、ものづくりのＤＮＡとでもいうように続けられてきています。運転速度を柔軟に自動コントロールするインバータ装置なども、日本のお家芸のようなもので、技術の高さも導入シェアも世界のトップクラスを走っています。

物の循環としては、「リデュース（減らす）」「リユース（再利用する）」「リサイクル（再生利用する）」という３Ｒの取り組みが定着してきていますが、これを熱に応用させるわけです。リデュースはエネルギー効率を向上させる省エネ行動とつながります。ヒートポンプを利用した熱回収はエネルギーのリユースといえます。バイオマス熱や発電の利用は廃材や食物残渣などをガス化するなどして再生するリサイクルのひとつです。

熱を利用する側に対しては、ほんの少しの働きかけで再生可能エネルギー熱の活用の重要性を理解し、積極的に熱利用の創意工夫をする行動に移ることができるはずです。リテラシー問題と同じく、熱利用の３Ｒをもっと積極的に展開していきたいところです。

一方、建築物のエネルギー評価基準については他国に比べて遅れていましたが、近年ようやく整備されてきました。２０３０年には新築建築物はＺＥＢ基準が標準となるとされています。ここからは世界トップクラスの日本の技術で、多彩な再生可能エネルギー熱への取り組みで、世界を牽引《けんいん》する役割を担えるようになるはずです。

豊富な熱利用の資源を有する日本

もう一つ、日本が再生可能エネルギー熱に関してアドバンテージが高い点があります。熱源の多様性です。例えば、地熱資源量でみると、環太平洋造山帯に位置する日本は、アメリカ、インドネシアに次いで世界第3位の地熱資源の保有量を誇ります。全国には約２８００の温泉地に約2万８０００の源泉があるのです。また、日本列島を背骨のように貫く山脈と、列島を囲む海との距離が近く、流量も豊かで良質な河川が全国に流れ、地下水脈も豊富です。国土の7割を占める森林の保全で切り出される間伐材や農作物の残滓《ざんし》からつくられるバイオマス、四季の移り変わりによる温度差など、熱源として利用できるものの可能性が大きいのも、日本の特徴といえます。

そして、熱利用の「伸びしろ」を残している地中熱をはじめ、未利用の温度差エネルギーが全国にたくさん眠っているのです。

こうしてみると、日本は再生可能エネルギー熱のポテンシャルがとても高い国であることを、改めて実感します。

漠然と再生可能エネルギー熱の可能性を考えているだけでは具体的な導入を検討するまでのハードルが高いため、全国の関連情報を一元的に「見える化」して導入促進を図る取り組みが進められています。

環境省では、再生可能エネルギー情報提供システム（ＲＥＰＯＳ《リーポス》）というポータルサイトを立ち上げ、運用しています。再生可能エネルギーの導入促進支援のため２０２０年に開設され、２０２２年のリニューアルを経て現在は、太陽光、風力、中小水力、地熱、地中熱、太陽熱の６項目について、再生可能エネルギーのポテンシャル情報が公開されています。再生可能エネルギーのポテンシャルは、次の三つに区分されています。

●**賦存量**：技術的に利用可能なエネルギーの大きさまたは量。設置可能面積、平均風速、河川流量などから理論的に算出することができるエネルギー資源量。

●**導入ポテンシャル**：各種自然条件・社会条件を考慮したエネルギーの大きさまたは量。賦存量のうち、エネルギーの採取・利用に関する種々の制約要因（土地の傾斜、法規制、土地利用、居住地からの距離など）により利用できないものを除いたエネルギー資源量。

● **事業性を考慮したポテンシャル**：事業性を考慮したエネルギーの大きさまたは量。推計時点のコスト・売価・条件（導入形態、各種係数など）を設定した場合に、ＩＲＲ（法人税などの税引き前の内部収益率）が一定値以上となるエネルギー資源量。

ＲＥＰＯＳでは、この三つのポテンシャルのうち、社会的に導入可能な資源量として扱われることの多い「導入ポテンシャル」を地理情報システム（ＧＩＳ）上で展開しており、ＷＥＢサイトで閲覧できるようになっています。エネルギー別のメニューに加え、都道府県別／市町村別にもデータを絞ってみることができ、ポテンシャルだけでなく、再生可能エネルギーの導入実績、熱需要量、計画、ゼロカーボンシティの表明などの関連情報が公開されています。また、地域脱炭素化支援ツールとして、導入を検討する際のゾーニングで使えるものや、再生可能エネルギーの導入にあたってポテンシャルと導入目標値を比較検討できるツール、自治体別の再エネ導入カルテも用意されています。

地域経済の活性化と雇用創出に貢献する

再生可能エネルギー熱の利用を促進し、地域のニーズや特性に適した環境保全型低炭素社会を構築していくことは、これからの地域経済のあり方としても大きな可能性を秘めていると考えられます。再生可能エネルギー熱の最も効率的な利用は、熱をその場で回すことです。伝達距離が短いほどエネルギー損失を抑えることができるからです。現在建物ごとに個別最適化されている再生可能エネルギー熱の利用を地域単位でとらえ直すことで、可能性はさらに広がります。

再生可能エネルギー熱は、多様な熱源を組み合わせ、多様な熱利用の形へ展開することで、より効率的な運用となります。熱のもつさまざまな時間特性や温度特性、蓄熱技術を組み合わせることにより、年間を通して安定した熱エネルギーの供給や大容量化が可能となります。多くの熱源がネットワーク化してつながることにより、災害や故障など不測の事態が起きたときでもほかの熱源で補完することができます。いわば熱源の冗長化、バックアップ体制ができるわけです。熱源ネットワークは、地域のインフラを自分たちで運用できるようにします。エネルギーの自立です。これは、事業継続計画（ＢＣＰ）としても重要なポイントといえます。

これからの時代、再生可能エネルギー熱利用の施設や設備がネットワークでつながり、地域全体で再生可能エネルギー熱を利用する「地域熱供給（ＤＨＣ）」の展開が期待されています。

地域熱供給によるエネルギーの自給自足は、地域経済の活性化にもつながります。地元企業やコミュニティが再生可能エネルギー熱プロジェクトに参加することで、地域内での雇用創出や新しいビジネスチャンスが生まれる可能性があります。例えば、再生可能エネルギー熱を利用するプロジェクトの設計、建設、メンテナンスや運用管理には多くの人が携わることになり、地域内で多岐にわたる職種において就業機会が増えることが期待されます。

また、再生可能エネルギー熱を利用した地域熱利用のシステムを構築する際には、地元の企業や団体が直接的または間接的に関わることになります。建設材料の供給、設備の維持管理、関連サービスなど、地域の企業がプロジェクトに関与することにより、地域経済に資金が循環し、ビジネスの成長にもつながると考えられます。地域熱供給に関するプロジェクトで新しい技術の導入や知識の蓄積が進むことにより、長期的に地域の技術革新を促進し、より持続可能で効率的なエネルギーシステムの開発への寄与が期待できます。

そして、地域熱供給により地域内で生成し消費すると、外部からエネルギーを購入するコストが減ります。その余力をほかの消費や投資、開発に向けることで、地域の経済的な持続力が高まる可能性もあります。

さらに、地域固有の再生可能エネルギー熱の展開は、地域熱を利用する施設への観光や環境教育といった新たな機会を生み出し、地域外からの訪問者や観光者を増加させる可能性もあります。このように地域の活性化が見える形で現れ始めると、利用者としてエリア内の一体感や愛着心を高め、地域内の連携と協力を促進し、コミュニティ強化にもつながります。

このように、再生可能エネルギー熱のネットワーク化は、都市開発からエネルギーマネジメント推進までをまちづくりとともに進めることにより、経済性、環境性、防災性など、地域の価値を創造していく力の源となります。少子高齢化が進み人口が半減して縮小するしかないといわれる地域社会にとって、効果的に経済力を高めつつ、自立したコミュニティとなっていく手段として、大きな可能性をもっているといえるのです。

将来の再エネシステム　熱源ネットワーク～第5世代地域熱供給

地域の熱は地域で回す――この地域熱供給は、今後大きな可能性をもった再生可能エネルギーシステムとして注目されています。

第５世代地域熱供給（５ＧＤＨＣ）は、０～30℃と低温の熱源水とヒートポンプを用いて温水・冷水を建物に供給する効率的な地域熱供給システムです。大規模地中蓄熱群と水熱源ヒートポンプで構成され、地中熱などの再生可能エネルギー熱や排熱などの未利用熱が主要な熱源となって熱源ネットワークが構築されます。多種多様な低温排熱が利用可能で、しかも高効率が期待できるとあって注目を集めています。

日本における地域熱供給は、１９７０年に大阪の千里ニュータウンで初めて導入されました。当初は、大気汚染防止の観点で北海道を中心に整備が進められていましたが、東京など大都市中心部の都市開発に合わせて地域熱供給の導入が進み、冷房用の冷水供給の割合が高まっています。熱源は、石油系燃料から都市ガスや電力へと移行し、さらに、未利用エネルギーの活用や、発電と熱供給を同時に行うコージェネレーションシステムの導入が進み、熱源システムであるヒートポンプ・冷凍機技術とともに技術の開発が進められてきました。

ヒートポンプ・冷凍機技術は、家庭用エアコンから地域熱供給の大型冷凍機まで幅広く用いられる重要な技術として、世界をリードする形で多様な技術開発が行われ、インバータターボ冷凍機、三重効用吸収式冷凍機などの高効率冷凍機は、大型ビルや地域熱供給での導入が進み、熱源システムの高効率化を支えています。複数種類の機器を負荷や気象条件に応じて最適に運用する技術や、機械学習を用いて運転中の不具合を検知する研究なども進んできています。

東京都では、都市開発計画を策定する過程の早い段階から未利用エネルギーや再生可能エネルギーを活用して効率的なエネルギー供給を行う仕組みについて検討することにより、低CO_2型の都市づくりを推進することを目的に「地域における脱炭素化に関する計画制度」を整備しています。２０２３年時点で90カ所以上が地域冷暖房区域として指定を受け、地域で面的にエネルギーを融通する事業が実施されているものの、そのうち排熱利用を含む再生可能エネルギー熱の利用はまだ1～2割程度と、熱利用の普及は発電には遠く及びません。再生可能エネルギー熱を有効利用した第5世代地域熱供給の実現に向け、さらなるエネルギー環境政策を期待したいところです。

持続可能な社会の実現

化石燃料社会からカーボン・ニュートラル社会へと変化するなか、これまでは機器単体の効率向上を中心に取り組まれてきました。近年はシステム構成機器の制御による省エネルギー技術を高めつつ、あらゆる熱源を組み合わせまた高度化し、高温から低温まで区別なく効率的な熱の取り出しを行って無駄のない熱利用としていく「熱マネジメント技術」が重要となってきています。

【天空熱源ヒートポンプ（SSHP）】

天空熱源ヒートポンプ（Sky Source Heat Pump）は、多様な再生可能エネルギー熱を利用して熱源水ループの温度調整を行うヒートポンプシステムです。天空熱源として地中熱、太陽熱、空気熱をハイブリッドに利用し、ヒートポンプで熱源水温度をコントロールして、水熱源ヒートポンプにより空調や給湯を行うシステムです。それぞれの再生可能エネルギー熱の特徴を活かして最適な温度コントロールを行うことにより省エネルギーの最適化、つまり効率の最大化を図ることを目指しています。まさに第5世代地域熱供給の技術のエッセンスを持ちあわせたシステムです。

新エネルギー・産業技術総合開発機構（NEDO）と鹿島建設と私が代表を務めている会社の共同開発でシステムの実証実験を進め、技術の確立を目指しています。

【バーチャルパワープラント（VPP）】

VPPは、特定のエリア内で発電や蓄電、節電、統合制御などさまざまな技術を組み合わせて電力の流通をネットワークで行う仕組みです。

東日本大震災に伴う計画停電などの電力問題をきっかけに、電力の需給バランスを意識したエネルギーの管理を行うことの重要性が強く認識されるようになりました。並行して太陽光発電や家庭用燃料電池などのコージェネレーション、蓄電池、電気自動車、ネガワット（節電した電力）など、分散型のエネルギーリソースの普及が進んできています。

さらに、ＩｏＴ（モノのインターネット）を活用した高度なエネルギーマネジメント技術により遠隔・統合制御で需給バランスの調整ができるようになってきています。

このような電力の需要と供給の柔軟な管理システムは、まるで一つの発電所のように機能していることから、バーチャルな（仮想の）発電所としてＶＰＰと呼ばれています。節電については、蓄熱槽と構成機器のインバータ制御を組み合わせて、熱生産と熱搬送を各構成機器の最高効率点で制御する技術の研究も実証段階となって進められています。

そのほか、ＤＸ・ＩｏＴ・ＡＩなどの技術を組み合わせた取り組みでは、熱源システム制御へのＡＩ実装や、リアル空間のデータを仮想空間に再現したデジタルツインに建物の情報をモデリングしたＢＩＭ（Building Information Modeling　３次元の形状情報に加え、建物の属性情報などを併せもつ建物情報モデルを構築するシステム）を実装し、性能評価する動きも始まりつつあります。

【建物間の熱融通】

市街地での大規模なシステム導入は、地面の掘削や熱供給導管の道路占用など課題が多く、容易には進められません。そこで、既存建物の熱源設備の更新や、小規模な再開発に合わせ、隣接するいくつかの建物に設置されている熱源システムや電気システムを熱配管や電力ケーブルで相互接続することにより、効率的なシステムを優先的に稼働させる制御を行い、接続した建物間で熱や電力を融通利用する仕組みが導入され始めています。

建物の熱源設備は、年に数日程度しかない需要のピークにも対応できるように設定されており、ほとんどの時間は最大能力の半分以下の稼働だといわれています。また、熱源設備は、導入した時期によっても機能や効率が異なります。異なる建設時期の建物間で熱融通を行うと、効率の高い熱源設備を優先的に運転させて、効率の低い熱源設備の運転時間を少なくすることができ、結果的に両方の建物の電力や燃料の消費量の合計が減少して、CO_2排出量や光熱費の削減が実現するのです。低温熱源水を建物間で融通する第5世代熱供給は日本においては私が知る限りはまだ存在していません。日本の技術開発としてはNEDO（国立研究開発法人新エネルギー・産業技術総合開発機構）において、2024年4月に「再生可能エネルギー熱の面的利用システム構築に向けた技術開発」に係る公募が始まったばかりです。

【電力需給調整機能地域熱供給システム】

容量の大きな蓄熱槽や、大型のコージェネレーション発電機、多数の電動冷凍機と吸収冷凍機の組み合わせにより、電力需要を変化させるものです。

電力の需要と供給のバランスを最適化するために、ピーク時の電力消費を抑えるなど、電力の需要パターンを制御することを「ディマンドリスポンス（ＤＲ）」といいます。電力が不足している場合は需要を減らす下げＤＲを行い、太陽光の発電が余るときなどは需要を増やす上げＤＲを行います。ヒートポンプは電気を利用して熱に変換するため、上げＤＲとしてヒートポンプによる蓄熱を行い、下げＤＲとして蓄熱を活用してヒートポンプの稼働を制御することが可能です。ヒートポンプによる蓄熱は、水蓄熱、氷蓄熱、給湯蓄熱、帯水層蓄熱、地中蓄熱などが可能であり、熱源ネットワークを利用してヒートポンプによる上げＤＲ、下げＤＲの対応が可能となります。

今後の地域熱供給システムにおいては、ピーク電力の抑制や再生可能エネルギー電源の変動など、広域電力システムの需給に応じた電力負荷の増減を行うＤＲは不可欠な技術となってくるはずです。

世界へ技術を輸出する

再生可能エネルギー熱は、ヒートポンプやＩＣＴによる制御技術などさまざまな技術を駆使し、利用の可能性が大きく開かれています。これらの技術を海外にも広げ、地球規模でカーボン・ニュートラルの取り組みを実現させていきたいと、現在、モンゴルに地中熱ヒートポンプシステムを普及させるため、ＪＩＣＡや環境省と共同で調査事業や実証事業を行っています。モンゴルでは、冬は極寒のため、暖房のために大量の石炭を使用しています。このためCO_2の大量排出や、ＰＭ２・５などの大気汚染が社会問題となっているのです。特に首都のウランバートルでは、冬季に世界で最も空気の質が悪い都市の一つとなってしまうことがあります。

再生可能エネルギー熱である地中熱ヒートポンプが普及すれば、CO_2削減にも大気汚染対策にもなります。その目的で、ＪＩＣＡとの調査や、環境省と実証事業を行ってきました。地中熱と太陽熱を熱源側でハイブリッドに組み合わせたヒートポンプシステムで主に暖房に利用するプロジェクトで、第一弾として、ウランバートル市の小学校に地中熱ヒートポンプを導入し、２０２４年から稼働を開始する予定です。

極寒の地での地中熱の利用なので、過度な採熱を繰り返すと土壌凍結を起こしてしまうため、太陽熱で地面の温度を回復させるシステムを組み合わせました。サッカー場の下で地中熱を採熱、学校建物の屋上で太陽熱を採熱し、ヒートポンプで暖房にする仕組みです。

モンゴルと日本では、技術的にも文化的にも大きな相違があり、ちょっとしたコミュニケーションをとるだけでも一苦労ですし、すんなりと技術提供をするだけで進むものではありません。それでも、この地で再生可能エネルギー熱の展開をと願っているのは、この取り組みが、先に挙げた環境保全対策やCO_2削減にとどまらず、国としての持続可能性、つまり、経済的・社会的な国民の生活の向上に直結する重大なエネルギー施策となると信じているからです。

広大な国土を有するモンゴルは、太陽光や風力といった再生可能エネルギーのポテンシャルが高いにもかかわらず、エネルギー需要の多くを石炭などの化石燃料に頼っています。さまざまな再生可能エネルギー熱を組み合わせた熱利用を拡大することにより、エネルギーの自給率が高まり、エネルギー供給の安全性が向上します。

また、再生可能エネルギー熱利用の設備や技術の導入と運用にあたっては、新たな雇用機会や技術力の向上が見込め、地域経済の発展に寄与します。

さらに、再生可能エネルギー熱の利用により、大気汚染を抑制しつつ快適な生活環境の温度維持ができるようになることは、呼吸器系・心血管系疾患の問題や大気の汚染が減少し、医療費の削減や農作物・水質の確保など、健康的な生活水準の向上にもつながります。

再生可能エネルギー熱は、電力のような動力源だけでなく熱源も含めて総合的な地域熱供給のシステムとしてとらえることにより、クリーンなエネルギーの普及、経済成長と仕事や生活の質の向上、産業と技術革新の基盤強化といった形で、地域の持続性、ひいては国そのものの持続可能性を高めていくのです。持続可能な開発目標（ＳＤＧｓ）の達成にも寄与することはいうまでもありません。

このモンゴルでの取り組みは、ほんの小さな一歩にすぎませんが、この歩みが再生可能エネルギー熱の利用促進につながり、環境、経済、社会の各面で大きな利益をもたらしてモンゴルの持続可能な発展に貢献する道となっていくことを期待しています。

再生可能エネルギーの当たり前を変える

私は「再生可能エネルギー熱」利用の重要性を一人でも多くの人に伝えたいと考え、企業や自治体向けのセミナー、展示会などのイベントを年に何十回と開催しています。また、中部地中熱利用促進協議会を共同で立ち上げ、そのほかのさまざまな地中熱に関する団体に理事や会員として所属しており、広く一般市民への普及に関わる活動も続けてきました。技術者検定や第三者認証制度にも関わり、社会に浸透させる支援も行っています。

こうした活動のなかで再生可能エネルギー熱の話をすると、「意外だ」「再エネの認識が変わった」「地中熱は初耳だ」「これからの時代に不可欠な話だ」といったコメントをよくもらいます。温度差で熱を利用できることや、建物の下の地面に地中熱というポテンシャルがあること、特にヒートポンプという装置を使えば温熱も冷熱も利用できることなど、初めて聞く話ばかりで、まさに「目からウロコ」だったというのです。

セミナーを受講する人たちはもともと再生可能エネルギーに関心の高い人ともいえます。そのような人からもこうしたコメントをいただくのですから、一般の人たちへの認知はとても低く、「再生可能エネルギー熱」はまだまだこれからの資源なのだろうと考えさせられます。

特に、私が強く感じているのが、中高生たちへのアプローチの重要性です。子どもたちへの教育がなければ、２０５０年のカーボン・ニュートラルの実現など、遠い夢物語になりかねません。高校生向けに特別授業を行うことがあるのですが、その際に再生可能エネルギー熱の話をしたところ、やはり知っている生徒は皆無でした。もっとも、環境問題に関心をもつ生徒たちには熱利用の可能性を魅力的に感じてもらえたようで、顔を上げて熱心に聞く彼らの姿に、再生可能エネルギー熱の知恵と情報を未来へ託すことに手応えを覚えます。ところが、現状では進学先の大学に再生可能エネルギー熱を専攻して探究できる学部がほとんどないのです。地中熱の技術も、建築系や資源系、地学の延長としてとらえられ、学問対象として独立・専門特化した概念にはなっていないところが大きな課題です。

中学校の義務教育で扱われる概念は、生きるうえで最低限の知識として必要不可欠なもの、また高校の教科書で扱われる概念は、社会生活を送るうえで基本的に必要な教養といえます。再生可能エネルギー熱が社会に浸透し、当たり前のように利用される環境行動となっていくには、中高生の教養レベルまで普及させ、熱利用が「読み書きそろばん」と同じようなリテラシーとして認識されていく必要があると感じます。

少なくとも、エネルギー消費量の半分以上が熱の消費であり、再生可能エネルギーは発電だけでなく熱利用が重要であること、熱マネジメントを十分に行った省エネが徹底されて初めて再エネ発電が意味をもってくるのだということだけでも、義務教育のなかで伝えてほしいと切望します。

再生可能エネルギー熱が世界の未来を変える

限りある地球の資源を無駄なく丁寧に利活用して持続可能な経済活動を行おうとする姿勢は、再生可能エネルギーの熱利用の理想的な姿といえ、その実現に大きく貢献しているのが、冷／熱の両方を供給できるヒートポンプと制御技術です。

日本にはオイルショック以降本格化した省エネ技術など、熱の効率性を追究し、より省力化・高性能化を図る技術が、ものづくりのＤＮＡとして刻み込まれています。また、居住可能な土地の少ない島国の生活で、ものの有限性を常に感じつつ無駄なく有効活用する「ありがたい・もったいない」価値観も深く根付いています。

一方で日本には、火山を含む多くの山々と列島を取り囲む海、豊かな流量で山の恵みを平地にもたらす多くの河川や地下水脈、モンスーン気候で四季の変化による温度差など、熱源として活用できる資源がたくさんあります。

このような日本の技術、文化、資源といった特長を、最も効果的に活用できる再生可能エネルギー熱が、さらに注目され、今後の経済活動に応用されることを願います。

ヒートポンプをはじめ、再生可能エネルギー熱の利用技術は今も進化し続けています。地域全体での熱供給システムでエネルギーの自給自足が進み、地域全体での持続可能性が高まっていけば、災害に限らず経済的な脅威にも地域住民自らの力で立ち向かうことができます。目の前に迫る少子高齢化による人口減少などの課題に対しても、生活基盤を再生可能エネルギー熱の供給技術で支えていくことにより、経済活動の循環を促し、自立できる地域となっていくはずです。

再生可能エネルギー熱が日本のそして世界の未来を変えていく重要な鍵だと信じ、今後の社会を担う次世代の人たちへ、知識と技術のバトンを渡していきたい。そう願いつつ、日々研鑽《けんさん》を積んでいます。

おわりに

再生可能エネルギー熱について、従来のイメージに多い発電利用とは異なる多様な熱利用の特徴や、具体的な利用方法について言及してきました。ヒートポンプで熱を移動させることにより、温めたり冷やしたりすることができ、温度差を活用すると省エネルギーとなります。また、ヒートポンプの仕組みを使えば温熱と冷熱を同時につくることも可能です。利用目的に応じた段階的な熱回収を行うことにより、エネルギー消費を極限まで抑えつつ快適な温度で経済活動を営むことができます。「エネルギー熱」のもつ可能性について、改めて考えてみるきっかけになったのではないかと思います。

私は、大学からずっと、再生可能エネルギー熱の利用、とりわけヒートポンプ技術について追究し、ここまでたどりつきました。父の事業を継いで会社の代表となってからは、事業体としての継続と再生可能エネルギー熱の普及啓発の両立を図るために邁進《まいしん》し、普及促進団体を立ち上げての発信も行ってきました。これまで何百という相談にのり、施工に立ち会い、研究開発に参画してきました。形になったもの、ならなかったもの、確信をもって運用しても思うような成果にならなかった事例、技術研究とは異なる社会事情でうまく進まなかった事例も数え切れないほどあります。そのなかでも前を向き、本書にまとめてお伝えするまでの知見とノウハウを積み上げることができたのは、ともに研究・実践、普及に邁進する仲間のおかげです。

今後は後進に――それも、これからの時代を支えていくことになる若い世代に――再生可能エネルギー熱の可能性を伝えていく意義を強く感じています。次世代へ引き継いでほしい技術も当然ありますが、いちばん伝えたいのは「診立ての力」です。名医の診立ては、勘や気分で湧いて出てきているわけではなく、積み重ねた症例に裏打ちされたひらめきによってもたらされています。

技術は常に更新され、今の先端の知識や技術はあっという間に古びていきます。画期的な新発見により、常識が根底から覆されることもあります。しかし、そのような激流のなかでも、本質を見失うことなく――再生可能エネルギー熱の特性を徹底して突き詰め、熱利用の意義を考えて、膨大に広がる情報に立ち向かってもらいたい。それが、技術がどんなに変わってもぶれずに進んでいける診立ての力になっていくのです。

一方で、現実的な話として、探究や実践そのものを、持続可能な取り組みにすることも忘れないでいきたいところです。いくら高尚な理念や理想を探究しても、事業として持続性がなければ形にしていくことができません。助成金や補助金があるうちはぜひ波に乗ってください。国の政策や制度は、その時点で最も普及させたい分野に予算を投入しています。

気づいている企業や団体は、もうすでに動き始めています。様子をみているうちに炭素税がかけられ、再生可能エネルギー熱の利用が義務になっている可能性もあります。そうなってから情報を集め始めても、時すでに遅しです。建物は一度建設されたら数十年は当初の性能による影響を受けます。設計段階で30年以上先をみておく必要があるのです。

近いところの動きをみれば、２０３０年や２０５０年に具体的な目標がおかれているため、中期の計画でもなんとかなりそうですが、社会生活はその後もずっと長く続きます。

地球が抱える課題の本質を見失わず、診立ての力を磨き、再生可能エネルギー熱の可能性を事業に活かす歩みにより社会の進化に資することができれば望外の喜びです。

柴 芳郎（しば よしろう）

ゼネラルヒートポンプ工業株式会社代表取締役。北海道生まれ。名古屋大学大学院工学研究科修了。博士課程在籍中に、地中熱ヒートポンプの開発研究を始める。1997年ゼネラルヒートポンプ工業株式会社入社、開発部に所属。東京大学と「地中熱空調システムの普及・実用化に関する研究」などの共同研究を行う。2012年、開発部を「再生可能エネルギー研究所」と改名し所長に就任。2016年より代表取締役に就任。2023年文部科学大臣表彰科学技術賞（技術部門）受賞。

現在では、モンゴル・ウランバートル市政府と学校への地中熱ヒートポンプシステム導入の覚書を締結し2024年完工予定。国内のみならず国外へも活躍の場を広げている。

博士（工学）、エネルギー管理士、高圧ガス製造保安責任者（第一種冷凍機械）、一級管工事施工管理技士、一級地中熱施工管理技術者、国土交通省地中熱TG外部委員。

本書についての
ご意見・ご感想はコチラ

再生可能エネルギー熱
RENEWABLE HEAT

二〇二四年六月二六日　第一刷発行

著　者　柴 芳郎
発行人　久保田貴幸
発行元　株式会社 幻冬舎メディアコンサルティング
〒一五一-〇〇五一　東京都渋谷区千駄ヶ谷四-九-七
電話　〇三-五四一一-六四四〇（編集）
発売元　株式会社 幻冬舎
〒一五一-〇〇五一　東京都渋谷区千駄ヶ谷四-九-七
電話　〇三-五四一一-六二二二（営業）
印刷・製本　中央精版印刷株式会社
装　丁　弓田和則

検印廃止

Printed in Japan　ISBN 978-4-344-94804-4 C0036
幻冬舎メディアコンサルティングHP　https://www.gentosha-mc.com/